MANFRED HAUSMANN

Andreas

Geschichten

um Martins Vater

1957

C. BERTELSMANN VERLAG

DAS KLEINE BUCH 100
Zeichnungen von Eva Kausche-Kongsbak

Gesamtherstellung Mohn & Co GmbH, Gütersloh.

Er sägt ein Bein ab

Dank einer Bausparkasse und der genialischen Rechenkunst, die Andreas ohne weiteres angeboren ist, steht das Haus eines Tages schlüsselfertig da. Die Wände sind mit einem Anhauch von blassem Gelb getüncht, die Fensterflügel leuchten weiß in taubenblauen Rahmen, und obendrauf befindet sich ein graues Pfannendach mit einem Schornstein, der wiederum ein Dach trägt, aber ein kupfernes, nebst einer goldenen Kugel und einem kleinen Blitzableiter. Der Hügelhang duftet nach Föhren, Ginster und wilden Rosen. Wenn man aus dem Wohnstubenfenster blickt, hat man das Moor zu Füßen, das sich mit seinen Torfstichen, Birkenreihen und Wasserzügen bis an den Himmelsrand erstreckt. Schöner könnte es beim besten Willen nicht sein.

Das Haus überdauert das erste Gewitter, den ersten Verwandtenbesuch, den ersten Winter, es überdauert sogar das Einweihungsfest, das Bekannte und Unbekannte mit fast einjähriger Verspätung in sämtlichen Räumen, einschließlich des Kohlenkellers, veranstalten. Ein standfestes Haus.

Eines Nachmittags erscheint Onkel Otto aus Hamburg, der sich als ein gewiegter Kenner der Kinderseelen erweist, da er dem sechsjährigen Christoph ein Taschenmesser mit dem Bild eines Segelschiffes und seinem Zwillingsbruder Görge eine Schachtel mit Buntstiften aushändigt. Im übrigen kümmert er sich nicht weiter um sie, sondern läßt sich in einem Liegestuhl nieder und liest vermittels eines Vergrößerungsglases in einem lateinischen Taschenwörterbuch. Das ist seine selige Ferienlust. Eines weiteren Nachmittags begleiten Andreas und Isabel ihn zum Bahnhof, wo er einen Triebwagen besteigt und, mit seiner Baskenmütze winkend, davonfährt.

Wie das junge Ehepaar nach einem zärtlichen Umweg rund um den Hügel das Haus wieder betritt, traut es seinen Augen nicht. Die hellen Wände der Diele sind mit zahllosen violetten Wellenlinien versehen, die sich neben den Treppenstufen nach oben ziehen bis in die Schlafzimmer hinein, wo sie sich über den jeweiligen Betten zu phantastischen Kringeln verschlingen. Eine zweite, gleichermaßen unermüdliche Hand hat aus sämtlichen Kanten der mit Seidenlack gestrichenen Türen und Türumrahmungen fingerlange Späne herausgeschnitten.

„Das ist ja wohl nicht möglich!“ stammelt Andreas und wendet die Balkontür des elterlichen Schlafzimmers hin und her, an der beide gewirkt haben, der Buntstift und das Messer, und zwar sowohl innen wie außen. „Unser schönes Haus! Da soll denn doch das blaue Donnerwetter . . .!“

Isabel, die sich zuerst erholt, hat viel zu tun, bis es ihr gelingt, den wut- und racheschnaubenden Andreas zu beschwichtigen. Er müsse, führt sie aus, die Sache auch einmal mit den Augen der Jungen ansehen. Sie hätten das Haus doch verschönern wollen, auf ihre Weise, er solle doch Vernunft annehmen, auf ihre Weise. Man könne sie belehren, daß sie es verkehrt gemacht hätten, aber man könne sie eigentlich nicht für ihre gute Absicht bestrafen. Es sei eben alles relativ.

„Schön“, sagt Andreas, „aber meine Relativität ist die stärkere, und infolgedessen . . .“

„Und infolgedessen“, fällt Isabel ihm ins Wort, „bist du durchaus ungeeignet, diese Angelegenheit in Ordnung zu bringen. Das überlaß nur mir. Du kannst höchstens mal darüber nachdenken, was kleine Jungen eigentlich tun sollen, wenn ein Messer unbedingt schneiden und ein Buntstift unbedingt malen will. Und ferner kannst du darüber nachdenken, ob man sich in einem etwas gebrauchten Haus nicht viel behaglicher fühlt als in einem funkelnagelneuen. Und wenn dir das noch nicht genügt, kannst du auch noch Maler Grotheer anrufen und ihm sagen, er solle die abgeschnitzelten Stellen sobald wie möglich neu lackieren und die Buntstiftstriche ein bißchen überwitschern. Es ist ja alles kein Beinab.“

Während Andreas sich daraufhin wohl oder übel ans Telephon verfügt, macht Isabel sich auf die Suche nach den beiden Jungen. Sie entdeckt sie in der Veranda und kann sie gerade noch davon abhalten, auch hier gewisse handwerkliche Veränderungen vorzunehmen. Dann redet sie des langen und breiten mit ihnen. Und dann schließen sie einen Sonderfrieden.

Am nächsten Morgen stellt Andreas fest, daß er wenig Neigung verspürt, sich seinen schriftstellerischen Papieren zu widmen. Jedesmal, wenn sein Blick auf das Schnitzwerk und die Malkunst fällt, muß er schlucken und schlucken, um das rötliche Flimmern vor seinen Augen zu vertreiben. So läßt er denn den Schreibtisch Schreibtisch sein und geht daran, eine Arbeit auszuführen, die schon längst hätte getan werden müssen. Die Beine des Eßtisches, der noch aus dem Hause seiner Großeltern stammt, sind um gute drei Zentimeter zu lang. Entweder haben die Menschen damals längere Rücken gehabt als die jetzigen oder ihre Stühle waren höher. Wie dem auch sei, heute soll endlich reiner oder vielmehr kurzer Tisch gemacht werden. Er zieht die Stühle weg, kippt den Tisch auf die Seite, mißt mit dem Zentimetermaß an den Beinen herum, denkt nach und setzt schließlich die Säge an.

Nach ein paar Minuten schieben sich, angelockt durch das schnarrende Geräusch, das durchs ganze Haus dringt, Christoph und Görge ins Zimmer. Wie sie die Säge erblicken, die sich spänesprühend in das polierte Holz frißt, fahren sie zurück, wispern miteinander und kommen mit bestürzten Gesichtern näher. Was fällt dem Vater denn ein?

Aber Andreas tut so, als bemerke er sie nicht, und nimmt sich, nachdem das Ende des ersten Beins zu Boden gefallen ist, das zweite vor.

Der umgekippte Tisch, die durcheinandergerückten Stühle, die unerbittliche Säge, die grimmige Miene des Vaters, das alles sieht so erschreckend aus, daß es eine ganze Weile dauert, bis Christoph imstande ist, mit bebenden Lippen zu fragen, warum der Vater denn den Tisch kaputt mache.

Andreas stößt unter unverdrossenem Weitersägen hervor: „Den Tisch? Alles! Ich mache alles kaputt! Das ganze Haus!"

„Nein", sagt Christoph kläglich.

„Doch. Oder meint ihr, ich hätte noch Lust zu einem Haus, bei dem die Wände und Türen in einem solchen Zustand sind? Nehe!"

Christoph und Görge ziehen die Augenbrauen hoch vor Grausen, sehen sich an und denken beide dasselbe: Wo sollen wir denn bleiben in der Welt, wenn wir kein Haus mehr haben? Dann weichen sie Schritt für Schritt zurück und schlüpfen aus dem Zimmer. Auf der Diele beschließen sie, vor allen Dingen der Mutter die ungeheuerliche Nachricht zu überbringen. Aber wie sie den Kopf durch die offenstehende Küchentür stecken, sehen sie, daß die Mutter auf einem Stuhl sitzt und in ihre Hände, die sie vors Gesicht gelegt hat, hineinschluchzt. Sie scheint demnach schon alles zu wissen. Daß sie in Wirklichkeit nicht schluchzt, sondern hinter ihren Händen nur darüber nachdenkt, was sie tun soll, da sie die Auslassungen des Vaters, die sie mit angehört hat, nicht billigt, können sie freilich nicht ahnen. Sie schleichen sich, bestürzter noch als zuvor, nach draußen und verschwinden im Garten.

Isabel geht zu Andreas und fragt ihn, ob er sich auch darüber klar sei, was er bei den Jungen angerichtet habe mit seinen Worten.

„Ich habe bei ihnen angerichtet, daß sie sich klar darüber sind, was sie bei mir angerichtet haben. Hoffentlich!"

„Und da wundert sich noch jemand", seufzt Isabel, „daß die Welt so ist, wie sie ist! Sie wird ja von Männern deines Schlages regiert. Naja." —

Wie Christoph und Görge zwei Stunden später dem Ruf zum Mittagessen folgen, bemerken sie zu ihrer Erleichterung und Verwunderung, daß nicht nur die sonstige Einrichtung,

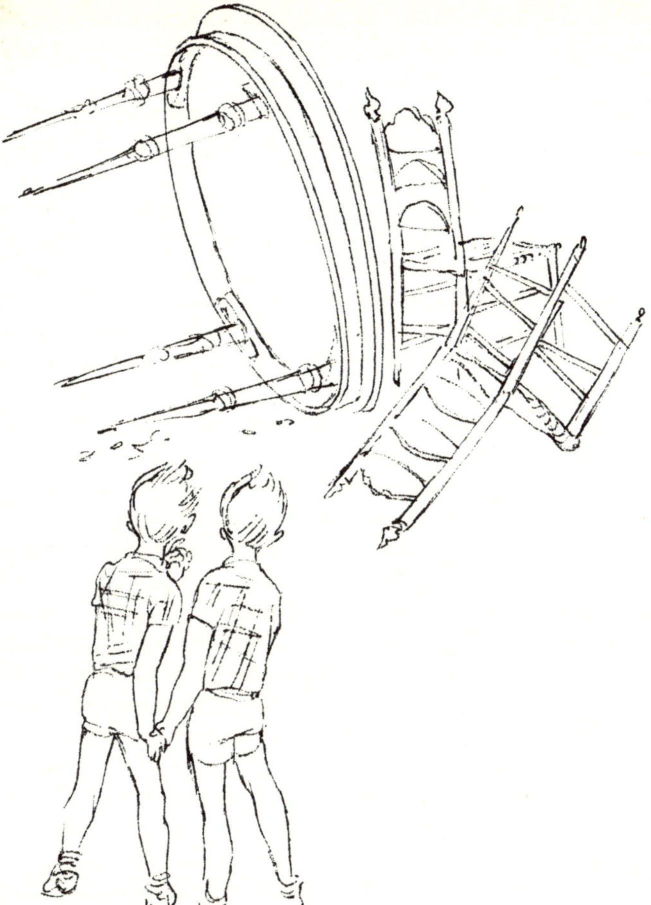

sondern auch der Tisch unversehrt dasteht. Dabei sind sie doch mit ihren eigenen Augen Zeugen gewesen, wie der Vater mit der Säge darauflos gewütet hat. Eine merkwürdige Sache.

Beim Austeilen der Nudelsuppe wirft Isabel, die den fragenden Blick der Jungen zu deuten weiß, beiläufig hin, der Vater habe es sich anders überlegt mit dem Hauskaputtmachen.

„Aber wie is denn der Tisch an den Beinen wieder zusammengeworden?"

„Kleinigkeit für unsereinen", sagt der Vater. „Man fängt übrigens nicht eher an zu essen, Görge, bis Mutter das Zeichen gibt." Dann wendet er sich Isabel zu: „Nun hat sich Maler Grotheer doch nicht blicken lassen. Es ist aber auch ein Elend mit den Handwerkern. Ich wollte ja nichts sagen, wenn er mir nicht ausdrücklich versprochen hätte, er werde gleich heute morgen an die Arbeit gehen!"

„Doch", sagt Görge, „er war aber da."

„War da? Wann denn?"

„Un da stand ich gerade anner Haustür."

„Und warum ist er nicht hereingekommen?"

„Un da hat er mich gefragt, ob meine Eltern zu Hause wärten."

„Na und? Wir waren doch zu Hause."

„Un da habe ich gesagt: ‚Die sin zu Hause. Aber gehen Sie man lieber nich rein.' Un da hat er gesagt: ‚Warum denn nich, mein Junge?' Un da habe ich gesagt: ‚Meine Mutter sitzt inner Küche un weint, un mein Vater haut gerade die Möbeln kaputt inner Wohnstube.' "

Isabel muß sich schnell die Serviette vor die Nase halten. Ihre Augen glitzern Andreas an.

„Ja, bist du denn von allen Göttern und Menschen . . .?" ruft Andreas und läßt den Löffel, den er schon halb zum Munde geführt hat, mit einem Platsch in die Nudelsuppe sinken. „Und was hat er da um Himmels willen gesagt?"

„Un da hat er um Himmels willen gar nix gesagt. Da hat er nur den Kopf so zwischen seine Schultern geduckt un mit den Händen nach hinten gewedelt."

„Und dann?"

„Un dann is er ganz leise weggegangen."

Zähneknirschend stürzt Andreas auf die Terrasse, auf der Isabel gerade Linsen ausliest, schlägt die rechte Faust mehrere Male in den linken Handteller und zischt, er könne in die Luft springen vor Ärger.

„Ach du liebe Zeit!" Isabel wischt einen Linsenhaufen von der Tischplatte in die Schale, die auf ihrem Schoß steht, und blickt unsicher auf. „Hoffentlich bin ich es nicht gewesen!" Wenn Andreas so wild zu ihr kommt, hat sie immer ein schlechtes Gewissen.

„Abgefressen!" ruft Andreas. „Alles! Ratzekahl!"

„Wie schrecklich!"

„Ja. Und das will ich dir sagen, jetzt ist es aus, jetzt schieße ich sie tot."

„Tu das nur! — Wen übrigens?"

„Ich leihe mir von Hans am Holte die Schrotflinte und schieße sie tot. Heute nacht. Oder vielmehr morgen früh. Das wäre ja noch schöner."

„Wäre es auch. — Und nun sag mir mal, von wem du sprichst!"

„Von den dreimal verdammten Wildkaninchen!"

„Was hast du denn nun wieder gegen die kleinen, niedlichen Wildkaninchen mit den kleinen, niedlichen Schwänzchen?"

„Ich habe gegen sie, daß sie nicht nur mit kleinen, niedlichen Schwänzchen, sondern auch mit großen, gierigen Satanszähnen versehen sind, am anderen Ende."

„Womit sollen sie denn sonst essen? Du mußt nicht immer gleich so ungerecht sein. Komm, setz dich auf den Stuhl da und hilf mir ein bißchen! Und daß du dich nicht unterstehst, den Wildkaninchen etwas zu tun!"

Andreas setzt sich an den Tisch und tupft mit seinen beiden Zeigefingern in dem Linsenhaufen herum, den Isabel ihm zuteilt. „Ungerecht? Ist es vielleicht gerecht, daß sie von meinen schönen Stauden nichts übriggelassen haben? Alles abgefressen, alle Triebe! Dafür habe ich mir nun so viel Mühe gegeben, mit Dünger und Kompost und Torfmull. Jede Staude hatte den Winter überstanden, ohne Schaden zu leiden. Überall schossen die Triebe gesund und kräftig hervor. Und nun in einer Nacht weg! Vollständig weg!" Andreas haut auf den Tisch, daß die Linsen in die Höhe springen. „Bis auf den Wurzelansatz weg."

„Nein, das dürfen sie nicht", sagt Isabel und fegt die Linsen mit ihrer Handkante wieder zusammen.

„Vielleicht belehrst du sie mal, diese Mörder und Banditen! Es hat keinen Zweck mehr, daß ich noch im Garten arbeite. Ich komme mir ja geradezu komisch vor. Natürlich tu ich ihnen was. Ich schieße sie mausetot, alle miteinander!"

„Kannst du es nicht erst einmal im guten mit ihnen versuchen? Ich meine mit Maschendraht oder so."

„Habe ich doch schon. Ich habe an der ganzen Hecke entlang Maschendraht gezogen und ihn sogar einen halben Meter tief in die Erde gegraben. Der Satan mag wissen, wie sie da durch kommen. Wahrscheinlich können sie zaubern. Aber morgen früh stehe ich um fünf Uhr auf und bringe sie um!"

„Du, ich stehe auch auf."

„Das wird die Kaninchen nicht retten."

„Wollen mal sehen." —

In der ersten Morgendämmerung des nächsten Tages legt Andreas, angetan mit einem Trainingsanzug, die geladene Flinte auf die Fensterbank der Bibliothek, öffnet den linken Flügel einen Spalt breit und läßt sich auf einem Stuhl nieder, den er mit dem Fuß heranzieht. Es dauert nicht lange, da gleitet Isabel mit schlafverhangenem Gesicht gleichfalls herein. Sie hat sich einen Bademantel um die Schultern gelegt und duftet leise nach sich selbst.

„Sind schon welche dagewesen?"

Andreas schüttelt den Kopf und späht nach der Hecke hinüber, die den Garten gegen den Sandweg abgrenzt.

„Hoffentlich kommen sie nicht!" flüstert Isabel.

„Die kommen schon."

„Aber es sind ja gar keine Stauden zum Essen mehr da."

„Doch. Den Rittersporn und den Goldrausch vor der Mauer mit dem Pfirsichspalier haben sie bislang noch verschont. Es wird aber nicht mehr lange dauern. Ruhig mal!"

Sie neigen sich gegen die Scheibe und sehen hinaus. Aber draußen regt sich nichts. Es ist die Stunde der Wesenlosigkeit. Das Wachstum stockt, der Wind schläft noch, die Eichen und Föhren stehen wie benommen da, ein bleiernes Schweigen liegt über der Welt.

In der Tiefe der Hecke webt noch ein wenig Dunkelheit. Schwarz spreizen die Pfirsichbäumchen ihr Gezweig vor der fahlen Stützmauer. Die sprießenden Rittersporn- und Goldrauschstauden sehen wie flache, hellgrüne Hügelchen aus. Neben dem Beet senkt sich der Garten in zwei Rasenterrassen zum Föhrenwald hinab.

„Es war nichts", sagt Andreas und setzt sich wieder auf seinem Stuhl zurecht.

Nach einer Weile streicht Isabel mit dem Zeigefinger über die Flinte. „Ein abscheuliches Ding!"

„Vorsicht! Sie ist geladen."

„Wo denn? Ich meine, wo sitzt die Kugel denn und das Pulver?"

„Bitte leise! — Kaninchen werden nicht mit der Kugel, sondern mit Schrot geschossen. Die Patrone steckt an dieser Stelle. Wenn ich den Abzug hier unten zurückziehe, geht der Schuß los. Die meisten Flinten haben zwei Läufe, damit man gleich zweimal hintereinander schießen kann. Aber dies ist eine altmodische mit nur einem Lauf."

„Und wie macht man es, daß man trifft?"

Andreas klappt den Lauf herunter, nimmt die Patrone heraus und zeigt Isabel, wie man über Kimme und Korn visiert. „Angenommen, du wolltest den kleinen, trockenen Zweig an dem Föhrenstamm da drüben treffen, den unteren, der einen Knick hat, dann mußt du dein Auge, die Kimme, das Korn und den Zweig in eine Linie bringen und dann abdrücken."

„Laß mich mal!“

Die Mündung des Flintenlaufs beschreibt, wie Isabel zu zielen versucht, die seltsamsten Figuren. Wenn sie das Korn ins Auge faßt, sieht sie den Zweig nicht. Achtet sie auf den Zweig, dann verschwimmt das Korn. Und außerdem soll sie noch an die Kimme denken.

„Das ist ja schrecklich schwer, du.“

„Knie dich mal auf den Fußboden und leg den Lauf auf die Fensterbank! Dann geht es leichter. Augenblick! Du mußt den Kolben nicht vor die Brust, sondern gegen die

Schulter setzen. So! Nein, noch mehr! Richtig gegen die Achsel. So, ja."

Aha, nun kommt Isabel dahinter! Sie meint, wenn sie jetzt abdrückte, würde es um den Zweig geschehen sein. „Ich habe alles gut in der Reihe. Nein, warte! Wo ist denn . . .? Ach so! Jetzt!" Sie reißt den Abzug zurück und sagt leise: „Bautz!" Dann blickt sie auf. „Wie viele Patronen hast du eigentlich bei dir?"

„Drei. Aber ich werde wohl nur einmal, höchstens zweimal zum Schuß kommen."

„Dann könntest du mir eigentlich eine abgeben. Ich möchte gern einmal richtig losballern, daß der Zweig in tausend Stücke fliegt."

„Mit dem Ballern ist es nicht getan, du mußt ihn auch treffen."

„Ich treffe ihn schon. Paß mal auf, wie ich ihn treffe!"

„Wenn ich mit den Kaninchen fertig bin, darfst du auch einmal."

„Au fein! Aber im Ernst, du."

„So ein Gewehr muß es doch in sich haben", sagt Andreas mit nachdenklichem Kopfschütteln. „Die reine Magie. Im Handumdrehen hat es aus einer Friedenstaube eine . . . Was ist das?" Er zieht den Kopf ein und legt seine Hand auf Isabels Arm. „Nicht bewegen!"

Im Fallaub und vertrockneten Gras der Hecke raschelt es. Ein Schatten huscht hinter dem Maschendraht hin, verhält und huscht weiter.

Ganz langsam streckt Andreas, ohne die Augen von dem Schatten zu lassen, seine Hand nach der Flinte aus, lädt sie wieder und schiebt den Lauf durch den Fensterspalt. Hinter ihm holt Isabel zitternd Atem.

Da richtet sich der Schatten auf, als wolle er an dem Maschendraht emporklettern. Und mit einem Male zappelt er in einer Masche und schlenkert und windet sich, bis er auf der anderen Seite herunterfällt. Und da ist es ein schwarzes Wildkaninchen. So rußschwarz, als sei es gerade durch ein

Ofenrohr gekrochen. Nur die Ohren schimmern innen ein wenig heller.

„Hast du das gesehen?“ haucht Andreas. „Dabei sind die Maschen nicht größer als so.“ Vor lauter Verblüffung bildet er mit Daumen und Zeigefinger einen so kleinen Kreis, daß nicht einmal ein Sektkorken hineinpassen würde.

Aber Isabel hört nicht zu. Ihre Augen, die auf das Kaninchen starren, werden schmal und wild. Ihr Kinn drängt sich etwas vor, ihre Lippen öffnen sich.

Nachdem das Kaninchen sich aufgesetzt hat, kratzt es sich mit dem rechten Hinterlauf blitzschnell unten am Hals. Dann springt es in die Höhe, als habe eine Ameise es gebissen, wirft sich herum und huscht mit gesenkten Ohren auf den Rittersporn zu.

„Jetzt!“ stößt Isabel flüsternd hervor. „Du! Los doch!“

„Was?“ gibt Andreas flüsternd zurück.

„Schieß doch! Jetzt!“

„Du bist ja gut. Mal so und mal so.“ Andreas weiß beim besten Willen nicht, was er von Isabel halten soll.

„Mal so und mal so?“ flüstert sie. „Du bist mal so und mal so. Du!“

Unterdessen ist das Kaninchen beim Rittersporn angekommen. Es entblößt die Vorderzähne und läßt die Nase auf und nieder schnuppern. Offenbar will es erst einmal den Duft genießen, den die hellgrünen Triebe ausströmen. Seine Ohren, die sich aufgestellt haben, wenden sich dahin und dorthin. Wie feststeht, daß nichts Verdächtiges zu hören ist, legt es den Kopf schräg und beginnt zu äsen.

Isabel sieht Andreas von der Seite an. Er scheint es aber nicht zu bemerken, sondern beobachtet unverwandt das schwarze Kaninchen auf dem Staudenbeet. Höchstens daß er, wie Isabel fortfährt, ihn anzusehen, ein bißchen blinzelt.

Das Kaninchen sitzt da und hat einen Rittersporntrieb wie eine Zigarette im Munde. Man könnte meinen, es rauchte und dächte über etwas nach. Wer kann sagen, was sich in seinem Kaninchenkopf ereignet?

Isabel hält es für richtig, Andreas vorsichtig anzustoßen. Er zuckt mit den Schultern und zischelt, ob sie denn nicht sehe, daß es gerade esse. „Nun laß es doch erst einmal sein Dings da aufessen!“

Nunmehr schlürft das Kaninchen die Zigarette wie einen kleinen Spargel mit genüßlich mümmelnden Bissen ein. Der zarte Kopf der Delikatesse verschwindet allerdings zuletzt. Dann folgt ein neuer Spargel und dann noch einer. Dies getan, hoppelt es beiseite, kuschelt sich wohlig auf den sandigen Boden und streckt die Vorderläufe steif nach vorn und die Hinterläufe nach hinten, so daß der Rücken sich durchbiegt und die Schwanzquaste nach oben weist. In dieser Lage schiebt es sich, bald die rechte, bald die linke Flanke an den Boden schmiegend, unter Zappeln und Schütteln näher an das Fenster heran. Wie es bei der Rasenkante angelangt ist, setzt es sich hin und duckt den Kopf ins Gras. Andreas kann die hellbraunen, etwas vorgewölbten Augen erkennen, die starr vor sich hin blicken.

Wieder gibt Isabel ihm einen Stups.

Aber Andreas empört sich dagegen, daß er es totschießen solle, während es ihn so traurig ansehe. Außerdem habe man nicht jeden Tag ein Wildkaninchen so nahe vor sich, dazu noch ein schwarzes. „Wenn du es nicht abwarten kannst, dann schieß doch selbst!“

Er rückt beiseite und überläßt Isabel die Flinte. Und sie, als handele es sich um die selbstverständlichste Sache der Welt, legt wahrhaftig an und zielt. Da muß Andreas ihr die Flinte natürlich wegnehmen. Sie ist imstande und bringt das ahnungslose Kaninchen ins Unglück. Isabel will die Mordwaffe jedoch nicht hergeben. Lautlos ringen die Hände um ihren Besitz. Der Lauf schwankt hin und her. Und plötzlich fährt die Schrotladung heraus. Poff!

Wie ein Strich rast das Kaninchen nach der Hecke, zuckt zur Seite, rast weiter, zuckt abermals zur Seite, springt gegen den Maschendraht, schlenkert eine Sekunde darin herum, fällt drüben hinunter und ist verschwunden.

„Wenn es so einen Schrecken gekriegt hat wie ich“, sagt Isabel, „dann kommt es nicht wieder.“

Andreas meint, solange die beiden letzten Stauden nicht abgeknabbert seien, gebe es keine Ruhe. „Aber jetzt weiß ich auch, was ich zu tun habe.“

„Was denn?“

„Ich schneide ein richtiges Loch in den Maschendraht, damit es sich nicht mehr so abzuzappeln braucht. Sonst ist es ja die reine Tierquälerei.“

Er ist ratlos

Weil der Maiabend so warm ist, lassen Andreas und Isabel sich noch ein halbes Stündchen auf der Bank nieder, die unter dem vorspringenden Hausdach steht. Vor ihnen schimmert ein blühender Apfelbaum durch die diesige Dämmerung. Er hat seine rosa Kelche erst heute morgen geöffnet. Der Dufthauch, der dann und wann herüberweht, ist noch frisch und süß. Von den beiden hochragenden Birnbäumen weiter hinten, deren schneeige Pracht sich dem Ende zuneigt, taumeln schon, mehr zu ahnen als zu sehen, einige Blütenblätter herab.

Anfangs flüstern die beiden Eheleute noch ein wenig miteinander, dann schweigen sie. Aus dem verhüllten Himmel sickert es wie Nebel herab. Isabel schiebt ihre Hand unter den Arm von Andreas und lehnt sich an ihn. Wie das Sickern dichter wird, entsteht im Apfelbaum ein zartes Getupfe und Getropfe. Es regnet.

„Mag ich gern“, sagt Isabel. „Du auch?“

Andreas meint, er habe nie verstehen können, warum die meisten Menschen unwillig seien, wenn es regne. So das weiche Geräusch, die Verschleierung, das gebrochene Licht, der neue Duft, das alles habe doch einen wundersamen Zauber. Regnen und segnen gehöre für ihn zusammen, und gewiß nicht nur des Reimes wegen. Wenn es auf diese gelinde

Weise regne, fühle er besonders eindringlich, wie tief er die Welt liebe.

„Gehöre ich auch zur Welt?" fragt Isabel, indem sie sich noch enger an ihn drängt. Als Antwort schiebt Andreas seine Hand auf die ihre und umfaßt sie mit den Fingern. Isabel läßt einen hohen, singenden Ton durch die Nase hören, der bedeutet, daß sie die Antwort verstanden habe und glücklich sei. Ihre kleine Hand kuschelt sich in die große, die sich über sie gewölbt hat.

Wie gut ist dies, denkt Andreas, diese Stunde des Beieinanderseins, dies Wunder des Vertrauens! Ein Menschenkind gibt sich, obwohl es meine Fragwürdigkeiten und Dunkelheiten kennt, bedenkenlos in meine Obhut. Obwohl? Vielleicht muß es ja weil heißen. Weil Isabel weiß, wie sehr ich der Nachsicht, der Hilfe, des Verzeihens, der Liebe bedarf, vertraut sie sich mir an. Kann man einem anderen inniger helfen als durch Vertrauen? Wenn irgend etwas auf dieser Erde mich über mich selbst hinausgetragen, mich bewegt, mich immer wieder aus den Entmutigungen gerettet hat, dann ist es dies Vertrauen gewesen. Mißtrauen drückt zu Boden, Vertrauen richtet auf. Weil Isabel sich geborgen weiß bei mir, weiß auch ich mich geborgen bei ihr. Wie sehr gehören wir doch zusammen, wir zwei, für Zeit und Ewigkeit!

Mit wohligem Seufzen löst Isabel sich von ihm, hebt die Füße, nachdem sie etwas zur Seite gerückt ist, auf die Bank, legt den Kopf auf die Knie von Andreas und streckt sich aus. Ihre Schultern suchen noch einige Male dahin und dorthin, dann rührt sie sich nicht mehr. Andreas beugt sich über sie: „Bist du müde?" Sie schüttelt den Kopf und schmiegt sich fester in seinen Schoß.

Nun hat es sich richtig eingeregnet. Ein stiller, lauer Mairegen fällt. Die Dunkelheit ist von einem gleichmäßigen Rauschen erfüllt, das vom hellen Gluckern der Dachrinne übertönt wird. Aber der Duft der Apfelblüten hat sich noch verstärkt. Ein kühler Vanillehauch durchdringt den Regenschleier.

Andreas lehnt sich zurück und sieht in die Nacht hinein. Wie ist das mit der Zusammengehörigkeit zweier Menschen, denkt er, und mit dem Geborgensein? Gilt es wirklich für Zeit und Ewigkeit? Für die Zeit wohl. Aber auch für die Ewigkeit? Für die Ewigkeit Gottes, vor die ein jeder Mensch doch in völliger Einsamkeit gefordert wird? „Ich habe dich bei deinem Namen gerufen“, heißt es, „du bist mein.“ Es gibt kein Ausweichen, es besteht auch kein Zweifel, wem die Aufforderung gilt, der Name ertönt. Gott kennt und meint und ruft den einzelnen als einzelnen. Und niemand kann den Aufgerufenen begleiten, wenn er vor den Ewigen hintritt. So wird Isabel bei ihrem Namen gerufen und ich bei meinem. Vor Gott sein bedeutet, von allem, auch von dem liebsten und vertrautesten Menschen, getrennt sein; bedeutet, auf sich selbst gestellt sein; bedeutet, rings vom Nichts umgeben sein. Es gibt keine mutterseeleneinsamere Einsamkeit als das Stehen vor Gott.

Unwillkürlich beugt Andreas sich wieder über Isabel und hebt sie langsam mit seinen Knien noch ein bißchen näher an sein Herz. Ihre Augen sind geschlossen, ihr Atem geht ruhig, der Schlaf hat sie überkommen. Wenn ihr Gesicht auch nur ungewiß durch die Dunkelheit dämmert, so kann er doch erkennen, wie schön es sich in seinem Frieden ausnimmt. Er weiß nichts auf der Welt, was ihm so teuer ist wie dies schlafende Angesicht auf seinem Schoß. Unverwandt betrachtet er Isabels Mund und Augen. Und die Gedanken hören nicht auf, durch ihn hindurchzuwandern. Eine große Bangigkeit preßt ihm die Brust zusammen. Wie ist es denn? denkt er. Da steht nun ein Mensch in seiner Einsamkeit vor Gott. Isabel zum Beispiel. Und Gott hat seine Erwägungen und Ratschlüsse über sie. Und dann kann es doch sein, daß er sie erwählt, während er mich zuvor verworfen hat. Oder, da seine Entscheidungen unfaßbar sind, daß er Isabel verwirft, während er mich erwählt hat, zuvor. Und dann? Was dann? Dann — Gott möge mir verzeihen —, dann will auch ich verworfen sein. Ich will das gleiche auf mich nehmen, das über Isabel befunden ist, es sei, was es sei. Ich will? Ich? Aber hier hat mein Wille ja nichts mehr zu wollen. Gegen diese Entscheidungen gibt es keinen Einspruch. Auch nicht den Einspruch eines liebenden, eines verzweifelten Herzens. Gottes Herrschergewalt ist frei, unbegrenzt, ungebrochen, voller Geheimnis. „Du bist mein", sagt er, „vorbehaltlos mein. Wenn die Zeit aufgehoben sein wird und die Welt und der Tod auch, dann wirst du begreifen, was es bedeutet, mein zu sein. Jetzt vermagst du es nicht."

So verhält es sich wohl. Ich vermag es nicht. In meiner Liebe zu Isabel vermag ich die Liebe Gottes nicht zu fassen. In meiner Liebe zu Isabel lehne ich mich auf gegen Gottes Wahrspruch. In meiner Liebe zu Isabel . . .

Da bewegt sich der Kopf auf seinem Schoß, der Mund öffnet sich und beginnt zu stöhnen. Angstvoll und immer angstvoller. Andreas umfaßt die Schlafende behutsam: „Was denn?" fragt er leise. „Was denn?" Sogleich geht das Stöhnen in ein schnelles, erschöpftes Atmen über, das sich allmählich beruhigt. Isabel öffnet die Augen und blickt verwundert um sich.

„Was ist denn?" fragt Andreas noch einmal. „Du?"

Sie schluckt: „Ich habe so schrecklich geträumt. Hach je . . .! Ein Glück, daß du bei mir bist! Hach je!"

„Nun ist es ja vorbei!"

Isabel schluckt abermals: „Ja. Hach ja. Ich muß erst einmal richtig aufwachen."

„Was hast du denn geträumt?"

Sie besinnt sich. „Wie es anfing, weiß ich nicht mehr. Ich weiß nur noch, daß ich in einen Zug steigen wollte, in dem du schon saßest. Aber du hattest keine Ahnung, daß ich draußen auf dem Bahnsteig stand, du saßest in einem hell erleuchteten Abteil und unterhieltest dich mit jemandem, den ich nicht sehen konnte. Und da fuhr der Zug auch schon ab. Ich lief nebenher und wollte einsteigen. Aber ich konnte es nicht, weil der Zug schon so schnell fuhr. Und so lief ich auf dem Bahnsteig neben den Wagen her, die lautlos an mir vorbeiglitten. Und ich wußte, wenn ich die Tür des letzten Wagens nicht erwischte, dann war es aus, dann sahen wir uns nie wieder, du und ich. Ich lief und lief, aber ich kam nicht mit, wie sehr ich mich auch anstrengte. Meine Beine waren zu schwer. So geht es einem ja immer, wenn man träumt. Und mit einem Male war der Bahnsteig zu Ende. Ich sprang blindlings hinunter und lief neben den Schienen her. Der Wagen befand sich jetzt so hoch über mir, daß ich das Trittbrett nicht erreichen konnte. Er schwebte an mir vorbei und verschwand zu meinem eisigen Entsetzen in der Nacht. Du glaubst nicht, wie wild und verzweifelt das Entsetzen war, das mich durchdrang. Das Herz blieb mir stehen vor Entsetzen. — Ein Glück, daß du noch bei mir bist! Ach, was für ein Glück! Du darfst mich nie, nie, nie verlassen, Andreas! Hörst du?"

Sie legt ihre Arme um seinen Hals und zieht ihn zu sich herunter. Ihre Gesichter reiben sich aneinander, eins fühlt mit der Schläfe das klopfende Blut an der Schläfe des andern, ihre Atemzüge vermischen sich.

Andreas blinzelt mit ratlosen Augen in die Finsternis, die voller Duft und Regenrauschen ist. Liebe Isabel, denkt er, liebe, arme Isabel! Wenn Gott sich doch über uns erbarmen wollte!

Er äußert sich über die Philosophen

Ehe Martin am Sonntagmorgen auf seinen Stuhl am Frühstückstisch klettert, legt er unter den Augen der ganzen Familie sein neustes Spielzeug neben seinen Teller. Es besteht aus einer nicht mehr ganz sauberen Zwirnrolle mit einem Bindfaden, an dessen Ende ein großer, dunkelblauer Mantelknopf befestigt ist.

Andreas erkundigt sich, was das denn sein solle.

„Ich habe mir ein gaanz schönes Ding gemacht", sagt Martin. „Da kann man mit auf einen Baum klettern und dann den Knopf an dem Bümfaden runterlassen."

„Wunderbar! Und dann?"

„Un dann is das so schön."

„Wieso ist das schön?" fragt Görge.

„Dann weiß man, wie tief es da runtergeht."

„Bei den Bäumen, auf die du dich 'raufwagst, du Klammeraffe, weiß man das doch sowieso."

„Aber mit dem Bindfaden", sagt Andreas, „ist es natürlich viel schwieriger und wissenschaftlicher. Ich glaube, Martin wird einmal ein Philosoph."

„Machen Flilosofen so was?"

„So etwas Ähnliches jedenfalls."

Er entdeckt eine Perle

Mit großem Interesse studiert Isabel am Frühstückstisch die Anzeige in der Zeitung, die sie gestern aufgegeben hat. Es handelt sich um einen Ruf nach einer zuverlässigen Hausgehilfin. Andreas mußte sich die verschiedenen Fassungen, die Isabel jeweils unter Backenaufblasen, Seufzen und Stirnkratzen aufsetzte, zwei Tage lang anhören. Seine poetischen Verbesserungsvorschläge wurden teils mit verächtlichen, teils mit nachsichtigen Handbewegungen zurückgewiesen. Nun betrachtet sie also das Ergebnis ihrer Bemühungen und findet, es nehme sich recht gut aus.

„Die Sache ist nur die", sagt sie zu Andreas, „daß ich auch die richtige unter denen herausfinde, die sich im Laufe des Tages vorstellen werden. Eigentlich könntest du mir ein bißchen dabei helfen."

Aber Andreas meint, sie solle erst einmal abwarten, ob überhaupt jemand erscheinen werde. „Heutzutage gibt es für die jungen Mädchen ja nichts Herrlicheres als die Fabrik. Du wirst dich wundern."

„Wenn keine erscheint, was ich nicht hoffen will, brauche ich mir auch nicht den Kopf zu zerbrechen, welche ich nehmen soll. Aber vielleicht erbarmen sich doch ein paar über mich.

Zwei oder drei. Es genügt ja, wenn du einen Blick auf sie wirfst. Ich habe doch so wenig Menschenkennt ... Da klingelt es schon! Die erste! Ach du meine Zeit!“

Sie eilt zur Tür, dreht sich aber noch einmal um und flüstert, er dürfe sie nicht im Stich lassen. „Bitte, lieber Andreas!“

„Geh nur hin! Ich werde dir nachher schon sagen, welche die richtige ist. Mir schwebt da so eine Sache vor. Los, los, sie klingelt ja schon wieder!“

Während Isabel sich mit dem vierzehnjährigen, etwas glotzäugigen Menschenkind und der ebenso stämmigen wie redekundigen Mutter in der Bibliothek bespricht, stellt Andreas im Garten eine Gießkanne unter die Wasserleitung, die an einem kurzen Pfosten neben dem Weg angebracht ist, und dreht den Hahn auf. Das Wasser schießt mit dumpfem Geboller in die Kanne. Andreas rückt sie ein wenig zur Seite, so daß der Strahl knapp danebengeht. Dann verbirgt er sich hinter den Himbeeren.

Nach einer Weile verlassen Mutter und Tochter das Haus. Wie sie an dem danebenrinnenden Strahl vorbeigehen, meint die Mutter, sie hätten ruhig vierzig Mark verlangen sollen. Oder wenigstens fünfunddreißig.

„Jetzt ist es zu spät“, sagt die Tochter. „Du bist ja immer so betorft.“

Andreas kommt hinter den Himbeeren hervor, schließt den Hahn und schlendert zu Isabel hin, die in der Haustür sichtbar wird. „Also von dieser“, sagt er, „möchte ich dir abraten.“

Im Laufe des Vormittags muß er das gleiche noch viermal sagen. Übrigens hört er hinter den Himbeeren auch dies und das, was nicht für seine Ohren bestimmt ist und eben deshalb tiefen Eindruck auf ihn macht.

Dann geschieht es.

Die Sechste, die weder von einer Mutter noch von einer Schwester noch von einem Verlobten begleitet wird, eine Schwarzhaarige mit bräunlichem Gesicht und weichem, leicht schiebendem, zigeunerischem Gang, die Sechste geht ohne weiteres auf den Wasserhahn zu, bringt die Gießkanne, nachdem sie sich suchend umgesehen hat, in die richtige Stellung, läßt sie vollaufen und dreht den Hahn ab. Dann geht sie weiter.

Da sie die einzige bleibt, die sich der Gießkanne annimmt, und da Andreas seinen Kopf verschwört, diese und keine andere müsse es sein, entschließt Isabel sich, es mit ihr zu versuchen. Sie heißt übrigens wahr und wahrhaftig Estella mit Namen, Estella Junkhuhn.

Im Laufe der nächsten Wochen erweist es sich, daß Estella zu den sogenannten Perlen zählt. Tag für Tag wartet sie mit einer neuen schönen Eigenschaft auf. Sie wischt Staub, daß es einfach nicht zu beschreiben ist, sogar auf der Unterseite des Cembalos. Sie kann Vanillebrezelchen backen, die einem vor Mürbigkeit auf der Zunge zergehen. Sie singt die beiden hibbeligen Jungen abends in drei Minuten in den Schlaf. Sie ist beim Schlachter, Krämer und Gemüsehändler in einer Weise auf den Vorteil der Familie bedacht, daß Isabel es nicht besser machen könnte. Und wie ein Jugendfreund von Andreas über Nacht bleibt und anderntags beim Abschied zwei Markstücke in ihre Hand legt, reicht sie eins sogleich an Isabel weiter, da sie, Isabel, ja mindestens ebensoviel Arbeit von dem Gast gehabt habe wie sie selbst. Nur mit der größten Mühe gelingt es Isabel, ihr das Markstück wieder aufzudrängen.

„Perlissima", sagt Andreas, wie er es hört, und lehnt sich befriedigt in seinem Sessel zurück. „Du solltest dich immer auf deinen Mann verlassen. Wenn unsereins sich mit so etwas befaßt, muß es ja gelingen."

„Tatsächlich", gibt Isabel zu. „Du hast mich gut beraten. Und ich will ihr Gehalt auch vom nächsten Ersten an um fünf Mark erhöhen."

Aber dann kommt der Tag und der Augenblick, an dem Isabel sich mit einem gebrochenen Schluchzer an die Brust von Andreas wirft: „Sie stiehlt, Andreas! Sie stiehlt! Deine Perle!"

„Das ist ja wohl nicht möglich", sagt Andreas. „Wieso übrigens meine Perle?"

„Sie stiehlt!" flüstert Isabel gegen seinen Pullover. „Und sie hat es selbst zugegeben."

„Was stiehlt sie denn so zum Beispiel?"

„Alles mögliche: Seife, Scheuerlappen, Apfelsinen, Schokolade."

„Na, es könnte schlimmer sein."

„Wieso?"

„Sie könnte zum Beispiel an deinen Wäscheschrank gegangen sein."

Isabel löst sich von Andreas und starrt ihn mit einem teils weinenden, teils sich erheiternden Gesicht an: „Du hast es offenbar noch nicht richtig begriffen. Sie stiehlt nicht von uns, sondern für uns. Für dich und mich. Weil wir doch so rechnen müßten, sagt sie. Und der Kaufmann merke es doch überhaupt nicht. Er habe doch so viel von allem. Die Apfelsine, die du heute morgen zum Frühstück gegessen hast, war gestohlen. Von deiner Perle."

Andreas fängt an zu lachen. „Haha!" lacht er. „Wenn man es sich überlegt, dann ist sie trotzdem eine Perle. Nur leider eine schwarze."

Er findet etwas merkwürdig

Zuerst hockt Isabel allein in den Erdbeeren. Dann kommt Martin, einen abgebrochenen Ast hinter sich herziehend, vorbei und erklärt sich bereit, beim Pflücken zu helfen. Und zuletzt gesellt sich auch Andreas noch hinzu. Aber Isabel hat wenig Freude an den beiden. Sie muß sie immer wieder ermahnen, wenigstens hin und wieder ein paar Beeren in die Schüssel zu tun.

Mit einem Male sagt jemand neben ihnen: „Die Post! Guten Morgen!" Briefträger Brünjes schwenkt eine Handvoll Drucksachen und Briefe. „Und ein Einschreiben ist auch dabei."

Wie Andreas den Zettel mit klebrigen Fingern unterschreibt, weist Herr Brünjes eine Nagelbürste vor, die schon ziemlich abgenutzt ist, und fragt, ob sie hierhergehöre. Er habe sie vor der Gartentür gefunden.

„Mein Siff", ruft Martin. „Das is mein Siff inner Badewanne."

„Hier, mein Junge", sagt Herr Brünjes und überreicht ihm die Bürste.

„Dankä!"

„Bitte! Du bist aber ein braver Junge. — Wiedersehen!"

„Wiedersehen, Herr Brünjes! Schönen Dank auch unsererseits! Mögen Sie ein paar Erdbeeren?"

„Bin so frei. Mm! Wie Zucker! Auf Wiedersehen!"

Andreas sagt, er wolle Martin morgen, wenn er nach Bremen fahre, ein richtiges Schiffchen mitbringen, mit einem kleinen Segel. „Wirf diese räudige Angelegenheit mal in die Abfallgrube!"

Aber Isabel streckt die Hand aus: „Nein, gib her! Das ist doch mein Festmacheding für den Fensterflügel im Badezimmer, an dem der Haken fehlt. Das brauche ich doch, damit das Fenster nicht zuschlägt."

„Merkwürdig", sagt Andreas und betrachtet gedankenvoll den spärlich beborsteten Gegenstand. „Brünjes nennt dies Stück Holz eine Nagelbürste. Martin sagt, es sei ein Schiff. Und du sprichst von einem Festmacheding. Was ist es denn nun in Wirklichkeit? Gibt es für dasselbe Objekt drei oder noch mehr oder sogar unendlich viele Wirklichkeiten? Sind Namen Wirklichkeiten? Wird ein Ding durch einen Namen verwandelt? Hat ein Name Zauberkraft?"

„Und was stellt es für dich dar?" fragt Isabel.

„Für mich? Für mich ist es zum Beispiel der mittlere Teil eines vertrockneten Riesentausendfußes."

Er versteht sich mit Martin

Estella verbringt ihren Urlaub im Bayernland. Eine Freundin, von der Andreas allerdings glaubt, daß sie mit Vornamen Ferdinand heißt, hat sie überredet, sich einer Reisegesellschaft anzuschließen. So muß Isabel denn vierzehn Tage lang den Haushalt allein bewältigen. Da sie aber geschickte Hände und einen genauen Verstand hat, macht es ihr weiter nichts aus. Hin und wieder hält sie Andreas an, auch ein bißchen zuzugreifen. Und heute muß er sogar von morgens bis abends die Verantwortung für das Hauswesen übernehmen, denn sie will ihre Mutter, die seit zwei Tagen in einem Bremer Krankenhaus liegt, besuchen und dann noch einige Besorgungen erledigen. Das Mittagessen ist vorgekocht. Andreas braucht es nur, wenn Christoph und Görge aus der Schule kommen, noch warm zu machen. Die beiden Jungen und Viola können sich selbst helfen. Um Martin, der mit seinen sechzehn Monaten bei Tisch noch einer fütternden Hand bedarf, muß er sich allerdings ein wenig kümmern. Isabel hofft zuversichtlich, daß er es schafft. Wenn ihm dennoch etwas danebengerät, dann kann sie's auch nicht ändern.

Sie trifft die Mutter bei besserem Befinden an und erledigt die Einkäufe schneller, als sie gedacht hat, so daß es ihr noch gelingt, den Nachmittagszug für die Rückfahrt zu erreichen.

Wie sie zu Hause ankommt, will die Familie gerade mit dem Abendbrot beginnen. Andreas hat Martin auf dem Schoß. Vor ihnen steht auf einem kleinen Wachstuch ein Teller mit Grießbrei, den Viola mit einem Kranz von roten Geleestückchen verziert hat.

„Schön, daß du da bist", sagte Andreas. „Du sollst gleich einmal sehen, was Martin alles gelernt hat."

„Da bin ich aber mal neugierig."

„Du meinst, er sei noch zu klein, um seinen Teller selbst leerzuessen? Keineswegs. Ich habe es ihm heute mittag beigebracht. Im Handumdrehen. Er ist wirklich ein ausnehmend kluges Kind. — Nicht wahr, Martin? Wir Männer, nicht wahr? Wir verstehen uns, was? Nun iß mal schön!"

Martin zeigt, sich halb herumdrehend, mit dem gefüllten Löffel erst auf Andreas, wobei das väterliche Gesicht in Mitleidenschaft gezogen wird, und dann auf ein Bild am Rande des Tellers: „Da isse Ssssweinchen!"

„Mußt du nicht!" ermahnt Andreas ihn mit ungewohnter Sanftheit und tupft sich den Brei aus den Augen. „Schön essen! — Das hat er übrigens auch gelernt, das mit dem Bild. — Martin, wie heißt das Tierchen hier?"

Damit Martin das neue Wort besser aussprechen kann, läßt er den Brei, den er mittlerweile in seinen Mund gelöffelt hat, erst einmal wieder herauslaufen. Dann sagt er: „Sssweinchen."

„Selbst ein Schwein!“ ruft Görge. „Oh, was ist das für ein Ferkel!“

„Sei du nur ruhig!“ sagt Andreas. „Als du damals lernen solltest, Spinat zu essen, mußten wir nachher das Zimmer neu tapezieren lassen. — Nun mal ganz schön, Martin! Nun mal ein Löffelchen für den kleinen Piepvogel, der vorhin in der Veranda war.“

Voll guten Willens taucht Martin den Löffel in den Brei, hebt ihn hoch und sagt in singendem Ton: „Un aiiin für Pitakooogel.“

„Jaaa . . .“ Andreas ahmt das Singen mit hoher Stimme nach. „Und einen für . . . Steck doch den Löffel in den Mund! Ach je!“ Schnell zieht er den Teller heran, um den Brei aufzufangen, der von dem schräggehaltenen Löffel herabrinnt.

Isabel und Viola sehen sich an, wie nur zwei Frauen sich ansehen können.

Während Andreas sich darüber verbreitet, daß ein Erzieher es immer schwer habe, die Ergebnisse seiner Bemühungen anderen vorzuführen, hält Martin, weil der Teller gerade so schön nahe ist und weil er doch endlich zu seinem Essen kommen muß, den Mund an den Rand und versucht, so viel Brei wie irgend möglich in sich hineinzuschaufeln. Daß dabei die Hälfte danebengeht, kümmert ihn weiter nicht. Es ist ja genug vorhanden. Der erzieherische Andreas bemerkt es erst, wie er die Wärme des Danebengegangenen in der Gegend seines rechten Knies fühlt. „Was machst du denn, Junge?“

„Daaa!“ sagt Martin. Sein Löffel fährt in die Höhe und verfolgt eine Fliege, die unter der Lampe kreist. „Daaa isse Fiiiege!“ Auf dem Tischtuch zeichnet sich der Weg der Fliege in Form von aneinandergereihten Breiklecksen ab. Und wie sie über Martins Kopf zum Fenster sumst, kann man ihre Spur auf seinen Haaren verfolgen. Andreas nimmt ihm den Löffel weg. Was bleibt Martin da anders übrig, als mit der bloßen Hand nach einem der Geleestückchen zu fassen, die so verlockend leuchten. Leider kommt nur verhältnismäßig wenig davon bei seinem Munde an. Das meiste quillt zwischen den Fingern hervor und trieft herab.

Mit beredter Wortlosigkeit säubert Isabel Martins Haar und Hand. Da er aber zwei Hände hat, holt er mit der anderen eine tote Hummel aus seiner Hosentasche und wirft sie in den Brei: „Noch ain Pitakogel. Da." Und dann schiebt er den Teller mit einem jähen Ruck zur Seite, um der Mutter die „Eisebah" zu zeigen, die auf dem Wachstuch abgebildet ist. Es gelingt Andreas zwar, den Teller vor dem Herunterfallen zu bewahren, aber seine Linke patscht mitten in den Brei.

„Vielleicht sollte ich ihn jetzt mal nehmen", sagt Isabel.

Andreas, der nicht weiß, wo er mit der breiigen Hand bleiben soll, hat nichts dagegen. „Vorsicht! Hier scheint auch was hingespritzt zu sein."

„Es dürfte schwerhalten, an dir und deiner Umgebung noch eine Stelle zu finden, wo nichts hingespritzt ist."

„Schade", sagt Andreas. „Und heute mittag konnte er es so schön."

Er sucht Geld mit Geld

Wenn Andreas abends von seinem Gang zur Post zurückkommt, pflegt er Isabel in der Küche aufzusuchen und ihr die Dorfneuigkeiten, die er unterwegs gehört hat, nebst seinen Anmerkungen mitzuteilen. Es ist immer eine beschwingte Viertelstunde, auf die Isabel sich Tag für Tag von neuem freut. Die Vorbereitungen für das Abendessen gehen ihr dann so leicht von der Hand, daß sie manchmal meint, die Arbeit erledige sich von selbst.

Heute erscheint jedoch ein mißmutiger Andreas in der Küchentür. Er reibt sich den Nacken, seufzt und murmelt vor sich hin, man könne sich auf niemanden mehr verlassen, und die zehn Mark seien also zum Teufel.

„Was für zehn Mark denn?" fragt Isabel, ohne die Nase von dem hartgesottenen Ei zu heben, das sie in Scheiben schneidet.

„Die Post-Stelljes mir auf meinen Zwanzigmarkschein herausgegeben hat. Ich wollte hundert Briefmarken zu zehn haben. Und da hat er mir zwei Fünfmarkstücke herausgegeben, die nur so funkelten vor Neuheit."

„Aha. Und die hast du verloren?"

„Nein. Nur das eine."

„Wo denn?"

„Wie ich die Lindenallee entlangging, habe ich mich so

über die Silberstücke gefreut, daß ich ein bißchen Fangball mit ihnen spielen mußte, mit beiden zugleich. Und mit einem Male flog das eine in das hohe Gras neben dem Fußweg und war verschwunden. Ich habe gesucht und gesucht, aber es hatte sich so verkrochen, daß ich es nicht wiederfinden konnte. Wie verhext."

„Ärgerlich", sagt Isabel und schiebt die mit Eierscheiben verzierte Aufschnittschüssel in die Durchreiche. „Aber darum brauchst du doch kein Gesicht zu machen wie ein Pott voller Mäuse. Wegen fünf Mark."

„Fünf Mark sind immerhin fünf Mark. Außerdem waren es zehn."

„Ich denke, nur das eine Fünfmarkstück sei ins Gras gefallen?"

„Ist es auch. Aber als ich es beim besten Willen nicht wiederfinden konnte, habe ich gedacht, ich wollte doch mal sehen, wie das sei, wenn so ein schimmerndes Ding zwischen den Halmen verschwände. Und da habe ich mich auf denselben Fleck gestellt, auf dem ich gestanden hatte, als das erste Fünfmarkstück verlorenging. Und dann habe ich von da aus das zweite geradeso ins Gras fallen lassen wie das erste. Nur daß ich diesmal genau aufgepaßt habe, wohin es fiel."

„Wie schlau!"

„Nicht wahr? Und doch noch nicht schlau genug."

„Warum?"

„Weil ich das zweite auch nicht wiedergefunden habe."

Er legt ein Buch auf sein Gesicht

Sie sitzen zwischen dem Brombeergeranke unter den Föhren, wo die Hitze, die über dem Garten flimmert, nicht so drückend ist, Isabel, Andreas und Martin. Das heißt, Martin, der mit einem blauen Höschen und sonst nichts bekleidet ist, sitzt nicht, sondern kriecht auf der Erde umher und schafft vermittels eines hölzernen Gebildes, das früher einmal ein Lastauto gewesen sein könnte, Föhrennadeln und Moosbrocken von einem Liegestuhl zum andern. Was Isabel betrifft, so sticht sie mit einem angespitzten Holzstückchen kleine Löcher in die grünen Stachelbeeren, die eingekocht werden sollen. Und Andreas bemüht sich mit gekrauster Stirn, in einem ungemein tiefsinnigen Buch endlich einmal einen Satz zu entdecken, der ihm einleuchtet. Weiter als bis Seite fünf ist er allerdings noch nicht gekommen.

„Estella?“ sagt Martin, ohne mit dem Beladen seines Lastwagens aufzuhören. „Ich meine — Andreas?“

Andreas antwortet nicht.

„Andreas?“

„Mm?“

„Wenn wir nun mal keine Sachen hätten, keinen Tesch un keinen Liegelstuhl un kein Gescherr un keine Sewisette, das wärte aber trauerig, nich?“

„Ja.“

„Un kein Bett, nich?“

„Ne.“

„Doooch! Das wärte doooch trauerig, wenn wir kein Bett hätten.“

„Ja.“

Mit hellem „Glüglüglüglüglü“ fliegt ein Grünspecht im Girlandenflug übers Haus. Dann wird es wieder still. Am Ginsterhang springt von Zeit zu Zeit eine Schote knackend auf und streut ihre Samenkörner aus, die mit zartem Rieseln ins Gras fallen.

„Andreas?“

„Mm?“

„Wenn in unseren Garten nun mal keine Bäume wärten, denn könnten die Eichhörnchen da auch nich raufklettern, nich?“

„Ne.“

„Das wärte auch trauerig?“

„Ja.“

Der Lastwagen bewegt sich auf Isabels Liegestuhl zu: „Ruttutu ruttutu . . .“

„Andreas?“

„Mm?“

„Andreas?“

„Ja?“

„Woraus is einlich das Auge gemacht?“

„Weiß ich nicht. Aus Gelee.“

„Schileh is doch rot.“

„Dann eben aus Stachelbeergelee.“

„Ach sooo.“

Der Lastwagen rattert um Isabels Liegestuhl herum, ohne sich seiner Ladung zu entledigen, und kehrt über Stock und Stein zu seinem Ausgangspunkt zurück.

„Andreas?“

„Mm?“

„Gestern, wie es anzufangen geregmet hat, da sin doch zwei Regenböhne angegangen, nich?“

„Mm.“

„Un denn sin sie wieder ausgegangen. Wie kommt das einlich, daß sie denn wieder ausgegangen sind?“

„Wahrscheinlich hat der liebe Gott da oben das Licht ausgeknipst.“

Isabel läßt ein entschiedenes Räuspern vernehmen. Wie Andreas zu ihr hinübersieht, schüttelt sie unwillig den Kopf.

Schuldbewußten Gesichts faßt Andreas sich an die Nase.

„Andreas?“ sagt Martin.

„Ja, was gibt es denn?“

„Die Prinzette in'n Badezimmer, warum heißt die einlich Prinzette?“

„Ja, warum?“ Andreas sieht Isabel an und faßt sich abermals an die Nase. „Also bei den Zwergen hinter den sieben Bergen, da war einmal eine kleine Prinzessin, eine ganz kleine Prinzessin, nicht größer als dieser Finger. Und die hatte so ungeschickte Beine, daß sie immer darüber stolperte. Du stolperst doch auch manchmal über deine Beine, nicht wahr?“

„Ne, über meine Füße."

„Die winzig kleine Prinzessin stolperte aber auch über ihre Beine, über ihre Füße und über ihre Beine. Ihre Knie stießen gegeneinander, weißt du."

„Ach sooo."

„Ja. Und wenn sie mit ihren Freundinnen tanzte und sprang, dann fiel sie hin und tat sich weh. Und da ging sie zu ihrem Vater und weinte ihm was vor. Und da sagte der Vater, er wolle ihr ein paar andere Beine machen lassen, aus Silber, die immer etwas auseinanderstünden, damit sie nicht mehr hinfiele. Und das tat er auch. Und die beiden silbernen Beine sahen gerade so aus wie eine Prinzette, die ja auch immer etwas auseinander ist. Ganz von selbst. Und weil die Prinzettin . . . also die Prinzessin mit den neuen Beinen so wunderbar tanzen und springen konnte, wollten die anderen Mädchen gleichfalls welche haben . . ."

Isabel ist schon mehrere Male auf ihrem Liegestuhl hin und her gerutscht, woran Andreas eigentlich hätte erkennen können, daß sie etwas auf dem Herzen hat. Nun unterbricht sie ihn: „Ich will ja nichts gegen deine Geschichte sagen. Sie ist sogar ganz reizend. Aber ich mag es gar nicht, wenn du dich über ihn lustig machst."

„Eigentlich mache ich mich mehr über mich selbst lustig."

„Wie soll er das wissen? Meinst du nicht, daß man ihm, wenn er ernsthaft fragt, auch ernsthaft antworten müßte?"

„Manchmal schon. Aber nicht immer."

„Doch, immer."

„Du hast gut reden. Es gibt doch eine ganze Menge Bewandtnisse, die er noch nicht begreifen kann, beim besten Willen nicht."

„Wenn man sich's nicht verdrießen läßt, begreift er sie schon. Man muß sich natürlich ein wenig anstrengen, man muß ein wenig darüber nachdenken, wie man sie seinem kindlichen Sinn nahebringt."

„Es liegt nicht nur daran."

„Doch, hauptsächlich."

„Schön, dann soll er sich in Zukunft lieber an dich halten mit seinen Fragen. Du wirst dich aber wundern."

„Ich habe mich noch nie zu wundern brauchen."

„Martin . . . Wo ist er denn?"

„Hier", sagte Martin und kriecht unter dem Liegestuhl hervor.

„Martin, wenn du jetzt noch etwas wissen willst, dann mußt du Mutti fragen. Willst du noch etwas wissen?“

„Jaha.“

„Was denn?“

Nachdem Martin die staubigen Hände an seiner nackten Brust abgewischt hat, stellt er sich vor Isabel auf und wackelt mit dem Kopf: „Bei Till, da sin doch so viele Hühnern. Un da is ein Huhn auf den andern Huhn draufgegangen un hat ihm ein bißchen Fell abgefressen. Warum denn?“

Andreas sinkt mit lautloser Behutsamkeit in seinem Stuhl zurück und legt das Buch auf sein Gesicht.

Schweigen. Nur das hohe Sirren der Schwebefliegen ertönt, setzt aus und ertönt wieder.

„Mutti?“

„Ja . . .“, sagt Isabel verzagt.

„Warum denn, Mutti?“

„Ach du liebe Zeit!“ ruft Andreas plötzlich und schwingt sich aus dem Stuhl heraus. „Ich muß ja den Rasen sprengen. Willst du mir helfen, Martin?“

„Au ja!“ Martin läßt alles im Stich, den Lastwagen und die Hühner und läuft hinter Andreas her. „Darf ich auch mal rumsprengern?“

„Darfst du.“ Andreas bleibt stehen und ruft leise: „Isabel!“

Auf ihrem Liegestuhl, der Andreas die Rückseite zukehrt, rührt sich nichts.

„Süße Isabel!“

Da schiebt sich eine Hand über die obere Kante des Stuhles und winkt mit den Fingerspitzen einen kleinen Dankesgruß zu ihm hinüber.

Er schämt sich ein bißchen

Nach dem Abendbrot sind Gäste gekommen, unbeschwerte Leute, die ein lustiges Gespräch lieben. Man liegt auf der Terrasse in der schwülen Dunkelheit und tändelt und glitzert und lacht darauflos. Jeder hat ein Glas neben seinem Liegestuhl auf dem Boden stehen. Die einen rauchen, die andern knabbern an Salzstangen und Käseplätzchen herum. Von Zeit zu Zeit erhebt sich Andreas und füllt die Gläser nach.

„Wie sieht es denn mit Ihrem Glas aus, Libuscha? Ich kann beim besten Willen nichts mehr unterscheiden."

Libuscha trinkt schnell noch einen Schluck und hält ihm dann ihren Kelch hin. „Ich wollte gerade die Geschichte von den beiden Hunden erzählen, die in eine Bar kommen. Oder kennen Sie die schon?"

Andreas kennt nie eine Geschichte, die ihm jemand erzählen will. —

Der Himmel ist fast so schwarz wie die düstere Masse des Föhrenwaldes. Kein Stern läßt sich blicken. Wenn das Gespräch einmal aussetzt, hört man den steigenden und fallenden Gesang der Grillen im Garten. Es dauert immer nur ein paar Augenblicke, dann geht das Lachen und Tändeln weiter.

Nach einiger Zeit öffnet sich die samtene Dunkelheit und gibt die Tiefe des Himmels frei. Andreas, der sich gerade in seinen Stuhl gelegt hat, ist der einzige, der es bemerkt. Zuerst erscheinen einige Sterne, und dann wird auch der silbrige Rauch der Milchstraße sichtbar.

Das mit den ausgebreiteten Schwingen ist der Schwan, denkt Andreas. Und das ist Perseus. Es sieht aus, als wolle er die vor ihm liegende Andromeda aufheben. Und die fünf großen Sterne sind die Cassiopeia.

Der Himmelsraum wird immer höher und schimmernder. Andreas kann sogar das verwischte Licht des Andromedanebels wahrnehmen.

Da setzt sich eine schattenhafte Gestalt auf seine Stuhllehne und fragt ihn flüsternd, woran er denke. Es ist Isabel.

„An den Himmel . . . an den Andromedanebel . . . an die Millionen von Lichtjahren . . ."

Isabel blickt empor: „O ja, es wird heller!"

„Mir ist so", sagt Andreas leise, „als sollten wir uns alle ein bißchen schämen."

„Warum? — Ach so." Sie beugt sich über ihn. „Ich weiß aber doch nicht. Warum müssen wir denn immer und immer ernst sein? Warum können wir nicht auch einmal lachen und dummes Zeug treiben. Wir sind doch Menschen."

„Trotzdem."

„Nein, da mag ich dir nicht recht geben. Ich will dir mal was sagen: Die Empfindungen ..."

„Nicht so laut!"

Sie dämpft ihre Stimme: „Die Empfindungen ... ich meine, was so innen in den Menschen geschieht ... so die Empfindungen ..."

„Zum Beispiel?"

„Die Liebe zum Beispiel. Deinen Sternenhimmel in Ehren, aber wenn Menschen sich liebhaben, dann ist das mindestens ebenso ... ach was, tausendmal mehr, dann ist das tausendmal tiefsinniger und rätselvoller und ergreifender als die ganze Milchstraße. So. Und nun sollst du mit mir anstoßen."

Sie holt ihr Glas und hält es dicht vor seine Augen.

„Ist hier auf der Terrasse denn jemand, der jemanden liebhat?" fragt Andreas, während er nach seinem Glas tastet.

Ein Jemand bestimmt. Dafür kann Isabel sich verbürgen.

„Zwei", sagt Andreas lächelnd, „zwei Jemande. Dafür kann ich mich nun wieder verbürgen. Dein Wohl, kleiner Jemand!"

„Deins auch. – Und wenn du ein folgerichtig denkender Mann wärest, müßtest du dich jetzt wiederum ein bißchen schämen. Aber das bist du ja nicht."

„Dafür habe ich bekanntlich eine folgerichtige Frau."

„Hast du auch."

Kling klang.

Er bedankt sich

Immer wieder nimmt Andreas das Buch zur Hand, das Isabel auf seinen Geburtstagstisch gelegt hat. Er ist glücklich.

Einmal über das Buch und mehr noch darüber, daß Isabel seinem geheimen Wunsch auf die Spur gekommen ist.

Da klingelt es. Peter erscheint, der getreue Freund und Nachbar. Er überreicht Andreas mit den aufrichtigsten Wünschen einen Gegenstand, der in Seidenpapier verpackt und mit einem golddurchwirkten Faden verschnürt ist. Wie Andreas den Faden gelöst und das Papier abgestreift hat, hält er das gleiche Buch in der Hand, das bereits auf dem Tisch liegt.

„Ach du liebe Zeit!" ruft Peter, dessen Blick inzwischen über die aufgebauten Gaben gewandert ist. „Ich sehe, du hast es schon."

„Aber lieber Peter", sagt Andreas, „dies Buch ist so wunderbar, daß man es gar nicht genug haben kann. Das eine stelle ich in meinen Bücherschrank und das andere gebrauche ich zum Lesen. Herzlichen Dank!"

Er geht zum Briefkasten

„Vio!" ruft Martin auf der Diele. „Viooo!"

Oben wird eine Tür geöffnet: „Is'n los?"

„Komm runter! Aber gaaanz schnell. Er will wieder Unsinn machen."

„Au ja!"

Im allgemeinen hat Andreas nicht die Angewohnheit, sich eines Spazierstocks zu bedienen. Aber wenn Viola und Martin ihn auf seinem abendlichen Gang zum Briefkasten begleiten, kann er aus bestimmten Gründen nicht darauf verzichten.

Martin, dessen Augen dunkel vor Erwartung sind, hält ihm denn auch den Eichenstock mit dem gebogenen Griff und der spitzen Zwinge schon entgegen. Und Viola nimmt ihm die Briefe und Postkarten ab, damit sie ihn ja nicht behindern.

„So", sagt Andreas, indem er den Stock ergreift und sich zur Tür wendet, „nun kann mir ja nichts mehr zustoßen, nun habe ich ja eine gute Hilfe für den Weg." Aber da gleitet seine Hand, die er zu weit vorn auf die Biegung des Griffes gelegt hat, am Stock hinunter bis auf die Zwinge, so daß er vornüberstolpert und mit dem Kopf gegen die Tür bumst.

Mit einer Mischung von Jauchzen und Kreischen dreht Martin sich um sich selbst, setzt sich auf die Treppe und strampelt mit den Beinen, während Viola den Kopf vorstreckt, die Augen und den Mund aufreißt und ein lautloses Gelächter herausatmet.

Mittlerweile ist Andreas wieder aufgestanden und geht, leise vor sich hin schimpfend, durch den Garten. Die Kinder tanzen um ihn herum. Wie er aus der Pforte tritt, erklärt er ihnen mit erhobenem Zeigefinger, daß er den Griff jetzt aus Vorsicht möglichst weit hinten anfassen wolle, damit er nicht noch einmal vornüberstürze. Unter eifrigem Kopfnicken bestärken sie ihn in seiner Absicht. Er legt also seine Hand dort um den Griff, wo er schon fast zu Ende ist, und setzt sich in Bewegung. „Schönes Wetter heute abend, nicht wahr?"

„Ja", sagt Viola, „sehr schönes Wetter, da haben Sie recht. — Huuuh!"

Die Hand ist vom Griff-Ende abgerutscht und ins Leere gefahren. Andreas wirft sein linkes Bein in die Luft und hopst, um nicht auf den Rücken zu fallen, auf dem anderen zurück. Obwohl Martin sich vor Lachen kaum aufrecht halten kann, versucht er doch, den Vater von hinten zu stützen. Er würde aber wohl kaum Erfolg damit gehabt haben, wenn Andreas nicht im letzten Augenblick einen Lindenstamm umklammert hätte.

Da hängt er nun und bläst seine Lippen auf.

Viola kommt mit dem Stock herbei.

„Gib her!" sagt Andreas und läßt den Baum los. „Danke schön. Das wäre beinahe schlimm abgelaufen. Ich muß vorsichtiger sein."

So geht er denn, den Stock bedachtsam aufsetzend, Schritt für Schritt die Lindenallee entlang. Leider trifft der Stock, wie er zum fünften Male aufgesetzt wird, in ein Mauseloch und bleibt darin stecken, ohne daß Andreas es bemerkt. Er wandert weiter, als habe er den Stock noch in der Hand, senkt sein Gewicht auf ihn und schießt schräg nach vorn gegen Frau am Holtes Gartenzaun, an dem er, unter wiederholten Drehungen um sich selbst, entlangtorkelt. Wieder ist es Martin, der sich ihm lachend und hustend entgegenstemmt.

Aber jetzt versteht Andreas keinen Spaß mehr: „Hast du denn nicht gesehen, daß der Stock in der Erde steckengeblieben ist?"

„Doch."

„Und dann hast du deinen armen, alten Vater nicht darauf aufmerksam gemacht, du Schurke?"

„Ne", sagt Martin.

„Was? Dafür wirst du jetzt verhauen."

Andreas läuft mit erhobenem Stock hinter Martin her, holt aus und schlägt zu. Dann läßt er, da er nicht Martin, sondern einen Vogelbeerbaum getroffen hat, den Stock fallen, springt aufjammernd in die Luft und pustet gegen die Hand, die er vor seinem Munde schüttelt. Etwas Herzerquickenderes kann es für Martin und Viola einfach nicht geben. Sie liegen sich in den Armen. Es kommt aber noch besser. Denn wie Andreas den Stock aufheben will, verwechselt er ihn mit einem halb vertrockneten Sonnenblumenstengel, der an seinem oberen Ende eine griffähnliche Biegung aufweist. Er nimmt den Stengel in die Linke, schüttelt die Rechte und schreitet davon. Natürlich knickt der Stengel sofort in sich zusammen. Andreas desgleichen. Er geht jählings in die Knie und setzt sich seitwärts ins Gras. Unter ziehendem Gelächter und weit nach hinten gelegt bemühen Viola und Martin sich, den Gestürzten wieder auf die Beine zu bringen. Schließlich gelingt es ihnen auch.

Er schleudert den Stengel in Frau am Holtes Garten und zieht ohne Stütze fürbaß. Doch das können die Kinder natürlich nicht dulden. Sie halten ihn an und drängen ihm seinen Stock wieder auf. Es bedarf vieler Erklärungen, ehe er sich überzeugen läßt, daß dies hier sein richtiger Stock ist, dem er vertrauen kann. Vorsichtshalber trägt er ihn fürs erste einmal waagerecht unterm Arm, die Zwinge nach vorn, den Griff nach hinten.

„Liebe Leute", sagt er, „wir kommen ja nicht mehr rechtzeitig zum Briefkasten!" Mit langen Schritten, halb laufend, daß die Kinder ihm kaum folgen können, eilt er dem Dorf zu. Mit einem Mal hakt der Stockgriff hinter einen Pfahl, der einem neu gepflanzten Lindenstämmchen Halt geben soll. Andreas wird zurückgerissen, prallt gegen den Pfahl und wird wieder vorwärts geschubst. Es dauert eine geraume Weile, bis er, hin und her taumelnd, sein Gleichgewicht findet.

Martin überkugelt sich vor Vergnügen zweimal im Grase, während Viola den Vater mit lachenden Augen belehrt, er müsse den Stock hoch halten, so, dann komme so etwas nicht mehr vor. Gut, er faßt den Stock am unteren Ende an, so daß der Griff nach oben zeigt, und bewegt ihn im Gehen auf und ab wie ein Tambourmajor. „Däderäderädädä!"

Wie er unter dem nächsten Lindenbaum hindurchmarschiert, bleibt der Stock an einem Zweig hängen, der ihn durch seine Schnellkraft der herabgehenden Hand entreißt und ihn weit fortschleudert. Der gesangreiche Andreas dreht sich im Gehen nach Martin und Viola um und bewegt die leere Hand unverdrossen auf und ab. „Däderäderädädä!"

Die Kinder hängen sich kreischend an ihn: „Wo ist denn dein Stock? Du hast ja keinen Stock mehr!"

„Was ist los?"

„Du hast ja keinen Stock mehr!"

Fassungslos betrachtet Andreas seine Hand: „Nun hört aber alles auf! Wie ist so etwas denn möglich?"

„Hier, hier!" Die Kinder zerren ihn dorthin, wo der Stock liegt. Aber er wehrt entsetzt ab. Nein, dies Ding rührt er unter keinen Umständen mehr an. Es ist verzaubert und verhext. Er will einen Grashüpfer verspeisen, wenn es sich nicht so verhält. Nein, weg!

Mit zugedrückten Augen und über Kreuz ausgestreckten Händen weicht er zurück, noch weiter zurück, noch weiter, bis er, bums, in den kleinen, grasbewachsenen Graben fällt, der sich neben der Allee hinzieht.

„Hilfe!"

Martin muß erst wieder ein paar Purzelbäume schießen, ehe er Viola beim Aufrichten von Andreas unterstützen kann. Zunächst entgleitet Andreas ihnen nach rechts und nach links und plumpst immer wieder wie ein Mehlsack in den Graben zurück. Aber mit einem Male steht er von selbst auf und wischt die Grashalme von seiner Hose. „Da sind ja Leute!" flüstert er. „Hinter den Schlehen."

Geführt von einer blonden Lehrerin, die einen hellblauen Sommermantel überm Arm trägt, kommt eine Schulklasse von vierzehn- oder fünfzehnjährigen Mädchen auf ihn zu. Andreas ergreift schleunigst den Stock, den Viola ihm hinhält, und schickt sich an, in aufrechter Haltung an der Klasse vorbeizugehen.

Da tritt jedoch die blonde Lehrerin vor, entschuldigt sich und erlaubt sich die Frage, ob sie mit dem Verfasser des Bu-

ches „Der Jüngling unter den Sternen“ spreche. Und dann nennt sie wahrhaftig auch noch seinen Namen, Wort für Wort. Ob er der Betreffende sei?

„Teilweise.“

Es handele sich um folgendes, sagt die Lehrerin etwas verwirrt, sie habe mit ihrer Klasse eine Moorwanderung gemacht, zwecks Heimatkunde. Und da sei sie darauf verfallen, den Mädchen zum Abschluß einmal einen lebendigen Schriftsteller zu zeigen.

„In freier Wildbahn“, murmelt Andreas.

„Wie? Ach so! Haha!“ Im Gasthaus „Zu den drei Eulen“

habe man ihnen gesagt, er gehe jeden Abend diesen Weg zur Post, um seine Briefe und Gedichte und alles aufzugeben. Und da hätten sie eben hinter den Schlehen auf ihn gewartet.

Andreas blinzelt.

Ja. Und sie hätten ihn schon die ganze Zeit über beobachtet. Schon wie er noch ganz dahinten gewesen sei. Sie müsse ja gestehen, daß sie sich ihn etwas anders vorgestellt habe.

„Wie denn zum Beispiel?"

„Zum Beispiel mehr wie den Jüngling unter den Sternen."

„Hm", sagt Andreas. „Wenn dieser Jüngling bis an sein Lebensende nicht ebensoviel Lust hat, in den Straßengraben zu fallen wie unter den Sternen einherzuwandeln, dann taugt er nichts."

„Das verstehe ich nicht."

„Manchmal verstehe ich's auch nicht. Aber nur manchmal. Und somit: Guten Abend! — Guten Abend, meine Damen!"

Er geht schnell davon.

„Machst du jetzt wieder Unsinn mit deinem Spazierstock?" fragt Martin.

„Unsinn? Aber Junge, wann habe ich denn Unsinn gemacht?"

Er beschwört eine Schlange

„Was machst du denn da?" fragt Isabel. „Bläst du Trübsal?" Sie bleibt mit der vollen Gießkanne hinter Andreas stehen, der vor dem Wurzelansatz einer alten Föhre kniet und seiner Blockflöte eine klagende Weise entlockt.

„Ich will versuchen, ob ich die Ringelnatter bewegen kann, aus ihrer Höhle herauszukommen. Sie wohnt hier unter der Föhre." Andreas zeigt mit seiner Flöte auf ein Loch zwischen zwei krummen Baumwurzeln. „Schlangen sollen ja Freude an Musik haben."

„Mit einer so trübseligen Blaserei schläferst du sie höchstens ein. Du mußt ihr was Lustiges vorspielen."

„Da magst du recht haben."

Andreas stimmt eine hüpfende Tanzweise an. Es rührt sich jedoch nichts.

Nachdem Isabel eine Weile zugehört hat, sagt sie, wenn er einen kleinen Frosch vor das Loch setzen würde, ließe die Natter sich wahrscheinlich eher blicken. „Aber das wirst du doch nicht tun?"

Andreas schüttelt den Kopf und bläst weiter.

„Wenn sie kommt, kannst du mich ja rufen. Ich muß jetzt mein Gewürzgärtchen begießen." –

Beim Abendessen fragt Isabel, was denn aus der Ringelnatter geworden sei. „Hast du noch Glück gehabt mit deiner Flötenkunst?"

„Sie ist leider ausgewandert."

„War sie so musikalisch?"

„Pö!"

„Was meinst du denn mit ‚ausgewandert'?"

„Na ja, sie ist herausgekommen, aber erst nach einer Stunde ungefähr, und hat sich durch die Büsche geschlängelt, den ganzen Hang hinunter und weiter über die Markusheide bis nach Hüneckes Teich. Ich konnte ihr kaum folgen, so schnell schlüpfte sie dahin. Im Teich hat sie sich ein bißchen gebadet. Und dann ist sie am andern Ufer wieder herausgestiegen. Ich bin gleich um den Teich herumgelaufen, sie war jedoch schon verschwunden. Dann habe ich noch etwas Musik gemacht, leise, damit Hüneckes nichts hörten. Aber es hat nichts genützt."

Isabel sagt, vielleicht fände sie ja in der Nacht wieder zu ihrer Wurzelwohnung zurück.

„Nein, die kommt nicht wieder."

„Armer Andreas! Dabei ist mir, als hätte ich irgendwo gelesen, daß Schlangen überhaupt nicht hören können."

„Das würde mich etwas trösten", sagt Andreas.

Er muß klein beigeben

„Klack klick", sagt die Waage, wie Isabel heruntersteigt.

„Ach ach ach . . ."

Andreas fragt, warum sie denn so seufze.

„Ich habe so einen Kummer."

„Wieder zugenommen?"

„Ja."

„Dann ist es ja gut, daß du Kummer hast."

„Kummer ist nie gut."

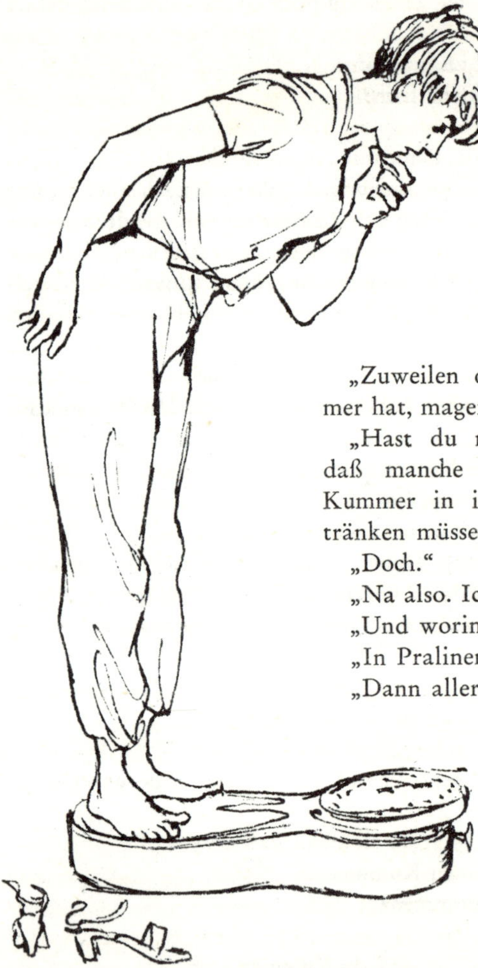

„Zuweilen doch. Wer Kummer hat, magert ab.“

„Hast du noch nie gehört, daß manche Menschen ihren Kummer in irgend etwas ertränken müssen?“

„Doch.“

„Na also. Ich muß es auch.“

„Und worin?“

„In Pralinen.“

„Dann allerdings.“

Nach dem Tee stellt Andreas seinen Malkasten und die kleine, altertümliche Eisenbahn, die er aus Holz erbaut hat, auf das abgeräumte Tischchen, und Isabel setzt sich mit ihren Nähsachen dazu. Die Lokomotive mit dem dünnen, oben in eine Zackenkrone auslaufenden Schornstein soll schwarz und golden und die Reihe der postkutschenartigen Wagen gelb, grün und rosa bemalt werden. Es handelt sich um ein Weihnachtsgeschenk für Martin.

Draußen fällt schnell die Dämmerung ein. Die verschneiten Sträucher und Bäume des Gartens weichen zurück und vergehen. Dann und wann treibt ein Flockenwirbel durch den Lichtschein des Fensters und weht mit weichem Tupfen an die Scheibe.

„Erzähl mal weiter!" sagt Isabel. Sie hebt eine Nadel gegen die Lampe und drängt das gezwirbelte Ende eines Fadens durch das Öhr. Dann schiebt sie ihre Unterlippe mit dem Mittelfinger hin und her und denkt über etwas nach. „Ob ich nicht doch lieber einen grauen Faden nehme? Grau oder Blau? Womit näht man diesen Saum nun am besten?"

Andreas ist für Blau. „Ich würde dies blasse Blau nehmen."

„Meinst du?" Zögernd zieht sie den Faden wieder aus der Nadel und wählt einen anderen. „Also du kamst in den Laden. Und da?"

„Und da war Buko schon drin. Er hatte den Mantelkragen hochgeklappt. Du weißt ja, wie er es immer so macht, die Enden so übereinandergelegt, daß er sie mit dem Kinn festhalten kann. Und rasiert war er auch nicht. ‚Wenn ich bitte eine Schachtel Lichter haben könnte, gelbe', sagte er. Und Reye mit seinem Bleistift hinterm Ohr brachte die Schachtel herbei und fragte ihn, was er als Kunstmaler denn davon halte, seine Frau wolle den Baum diesmal ganz in Natur schmücken, nur so den Baum und dann weiße Kerzen auf den Zweigen, ganz in Natur sozusagen. Aber Buko antwortete nur ‚Hm' und verlangte goldene Flitterschnüre und dann zwei Lebkuchenherzen und dann eine kleine Kindertrompete. Und Reye immer zuvorkommend mit ‚Bitte sehr!' und ‚Darf es sonst noch etwas sein?', wie Reye so ist. Und mit einem Male brach es aus ihm heraus . . ."

„Aus Reye? Ich denke Buko . . ."

„Aus Buko natürlich. Er beugte sich über den Ladentisch und sah Reye scharf in die Augen. Sein Mantelkragen öffnete sich, man konnte sehen, daß er ein Hemd ohne Kragen anhatte. Aber das war ihm ganz gleich. Er stampfte mit der Faust auf den Tisch, so von oben mit den Knöcheln, und dann brach es aus ihm heraus: ‚Hören Sie mal, Sie haben mich aber enttäuscht, Herr Reye!' — ‚Ich?' — ‚Sie, jawohl! Bislang habe ich Sie nämlich für einen Mann gehalten, der das Herz auf dem rechten Fleck hat. Ja, Fleutjepiepen!' — Reye wußte gar nicht, wie ihm geschah. Er wollte etwas sagen, aber Buko ließ ihn überhaupt nicht zu Worte kommen. — ‚Hören Sie mal', sagte er, ‚in jedem Jahr sind Sie beigegangen und haben ein Weihnachtsschaufenster errichtet mit einem kleinen Tannenbaum, mit einem kleinen Nikolaus, mit einer kleinen Kirche, die innen erleuchtet war, das haben Sie immer sehr stimmungsvoll hingekriegt, und dann der glitzernde Schnee und der Weg aus Rosinen und alles, sehr stimmungsvoll. Und wie haben die Kinder sich darüber gefreut! Und ich selbst auch. Wenn Ihr Weihnachtsschaufenster erschien, dann fing für mich die Vorfreude auf das Fest an. Ich bin immer stehengeblieben und habe es mir betrachtet und ein freundliches Gefühl dabei gehabt. Sieh einer an, habe ich gedacht, Reye hat das Herz auf dem rechten Fleck, er vergißt die Kinder nicht. Aber in diesem Jahr! Wollen wir mal vor die Tür gehen und Ihr Schaufenster besichtigen? Wollen wir mal nachsehen, was für eine Weihnachtsstimmung Sie den Kindern in diesem Jahr beschert haben? Kaffeetassen, Milchtöpfe, Weingläser und ein Bowlengefäß. Hören Sie mal, es ist eine Schande wert. Man müßte Ihnen einfach die Fensterscheibe einwerfen. Tatsächlich, das müßte man.' — Aber unser Reye war auch nicht auf den Mund gefallen. ‚Gewiß',

sagte er, ‚der Weihnachtsmann, die Kirche, der Schnee, gewiß.‘ Aber man sei ja schließlich Geschäftsinhaber. Und wenn man sich neuerdings entschlossen habe, auch Glaswaren und Porzellan zu führen, dann müsse man den Leuten ja etwas vor Augen breiten, damit es sich herumspreche. Man habe es heutzutage ja nicht einfach als Geschäftsinhaber, das wolle er ihm gerne schriftlich geben. — Und dann ging Buko wieder gegen ihn an und nannte ihn einen Pfennigfuchser, und er habe den Adventssonntag und das Kinderglück für dreißig Silberlinge verraten. Und so redeten sie hin und her, bis Reye mit seinem Bleistift auf den Ladentisch tippte und fragte, ob er sonst noch Wünsche habe. Allerdings, Buko wollte noch ein kleines Segelschiff erwerben. Er stand immer noch vorgebeugt da und durchbohrte Reye mit seinen drohenden Blicken. Einen Augenblick schielte er in seinen Tabaksbeutel, aus dem er zwei Scheine holte und auf den Tisch warf, dann starrte er Reye wieder an. Aber Reye behält ja immer seine Besonnenheit."

„Tut er auch." Isabel nickt nachdrücklich mit dem Kopf. „Ich komme immer gut mit ihm aus. Nichts gegen Reye! Aber auch nichts gegen Buko! Er ist ja doch der Beste von allen. Schade, daß er sich so zurückhält. Ich muß immer an seine treuen Augen denken . . . und überhaupt. Und da?"

„Da stopfte Buko seine Siebensachen in einen alten Rucksack und brummte, alles was recht sei, aber das sei nicht recht. Und in der Tür drehte er sich noch einmal um und rief: ‚Gesegneten Handel, Herr Geschäftsinhaber!' Reye lachte jedoch nur mit seinen gelben Zähnen und fragte mich, was es heute denn sein solle. ‚Sie kennen ihn ja auch', sagte er. ‚Ich nehme ihm das weiter nicht übel. Künstler! Wenn ich gleich ein paar Tannenzweige mit Lametta zwischen die Gläser stelle, versöhnt er sich morgen, ach was, heute abend schon wieder mit mir.' "

Isabel wirft ein, das wisse sie ja nun doch nicht. So sei Buko eigentlich nicht. Ein anderer tue es vielleicht, aber Buko nicht. „Hm. Ich gäbe ja doch etwas darum, wenn ich wüßte, was er mit den Sachen im Sinn hat. Will er sie für seinen Baum verwenden? Ich glaube es nicht. Er hat irgend etwas Besonderes im Sinn."

„Würdest du entrüstet auffahren, wenn ich durchblicken ließe, daß ich dich in meinem Innern der Neugierde bezichtige?"

„Bin ich auch! Wenn es sich um Buko handelt, bin ich auch neugierig!“

„Ich übrigens gleichfalls. Und da ich mir sowieso noch etwas Krapplack von ihm ausbitten wollte, werde ich nachher auf dem Weg zur Post einmal bei ihm vorsprechen.“

„Das tu nur. Denn eine Kindertrompete . . . Was will er zum Beispiel mit einer Kindertrompete anfangen?“

*

Zuerst meint Andreas, es schneie nicht mehr. Aber dann fühlt er, daß ein feines Geprickel gegen sein Gesicht weht. Es kommt ihm so vor, als seien die Flocken körniger geworden. Wahrscheinlich ist Kälte im Anzug. Noch sieht der Himmel allerdings dumpf und schwarz aus. Kein Stern zeigt sich. Aber auf der Schneefläche liegt ein Hauch von Dämmerlicht, so daß er die Fußspuren, die den Weg bezeichnen, ganz gut erkennen kann. Im Dorf fällt da aus einer halboffenen Stalltür ein rötlicher und dort aus einem verhängten Fenster ein gelblicher Schein auf den Schnee. Vermummt und vornübergebeugt schlürfen die wenigen Menschen dahin, die jetzt noch unterwegs sind. Die Flocken sinken auf sie nieder und ersticken jedes Geräusch. Nur ein paar Kinder, die Andreas gleitend und laufend überholen, durchbrechen mit ihrem aufgeregten Gespräch und dem gedämpften Klappklapp ihrer Holzschuhe die Stille. Er erkennt die Stimme von Meta Wendelken.

„Jo, jo, sowat hes dien Lebtach noch nich sehn. — Wo is Jan denn? Jaahan!"

„Minsch, du lochs jo!" ruft ein Junge.

„Och, un de flächt do jümmer boben rom. Wunnerbor, kann eck di seggen. — Jan!"

„Richtige Engels? Du lochs jo!"

„Un'n Schipp in'n gollenen Woter, un ne Poppe, wunnerbor, un so'n Kerl mit'n gaanz gräsigen Mund, un de Engels, de flächt do jümmer rom."

„Minsch, dat kann jo woll nich angohn."

„Kumm man her! — Wo bliewt Jan denn all wedder? Jan!"

Der kleine Jan klappert nölend und schnüffelnd hinterher. Bei der Post biegen sie in den Heckenweg ein, der zum Redder hinunterführt. Andreas wirft seine Briefe in den Kasten und folgt ihnen. Buko wohnt ja auch im Redder, und es soll ihn wundern, wenn der Kerl mit dem gräsigen Mund und das Schiff und die Engel nicht irgendwie mit Bukos Einkäufen zusammenhängen.

Wie er ungefähr bei Bäcker Monsees ist, kommt Bukos Häuschen in Sicht, das etwas zurückliegt. Er hat sich nicht getäuscht: im Vorgarten wimmelt es von Kindern, über die sich ein weicher Glanz aus dem erleuchteten Atelierfenster ergießt. Auch einige Erwachsene stehen an den Seiten und beugen sich gegen die Helligkeit vor. Langsam geht Andreas näher heran. Was hat Buko da denn um Himmels willen vollbracht! Wie ein Traum schwebt es mit Buntheit und zartem Geglitzer hinter der Scheibe. Vorn auf der Fensterbank liegen sieben Äpfel, in denen brennende Kerzen stecken. Dahinter erhebt sich auf einem herangerückten Tisch, über den Buko ein verschossenes grünes Tuch gebreitet hat, eine unwirkliche Märchenwelt. Vor allen Dingen steht da eine Pyramide aus drei mit Silberpapier umwickelten Holzstäben, auf deren Spitze ein dunkelblaues Flügelrad sich langsam in der aufsteigenden Wärme mehrerer Kerzen dreht. Unter den Flügeln hängen an kaum sichtbaren Fäden fünf schräg geneigte Rauschgoldengel mit großen, blauen Flügeln, die still durch die Luft gleiten, während unten in einer moosigen Landschaft drei Hirten inmitten einer Heidschnuckenherde, deren Wollzotteln bis auf die Erde fallen, mit erhobenen Armen zu ihnen emporstarren. Am anderen Rande des Tisches bilden aufgeschichtete Bücher eine Art von Bergrücken. Dahinter steigt das grüne Tuch zu einer Staffelei hinauf, die den Schauplatz gegen das Zimmer abschließt. Rechts auf dem Felsen sitzt eine altmodische Puppe in brüchiger Seide und Goldgespinst und lächelt mit ihrer Spielzeugunschuld ins Leere. Zu ihren Füßen wiegt sich auf den Wellen einer hin und her geschlungenen Flitterschnur ein Vollschiff mit geblähten Segeln. Auf der anderen Seite zeigt ein grimmiger König Nußknacker, dessen frisch aufgetragene Farben feucht erglänzen, seine Zähne. Der Hampelmann hingegen, der sich, an einem Flitterfaden frei im Raum schwebend, über dem Schiff bald nach rechts und bald nach links wendet, lacht übers ganze Gesicht, wiewohl er in der einen Hand einen gebogenen Säbel und in der andern eine Pistole mit trichterförmig sich erweiterndem Lauf hält und mit seinem fransenbesetzten Anzug aus metallischem Glanzpapier, seinen Stulpenstiefeln und seinem Federhut offensichtlich einen Räuberhauptmann abgibt. Teils höher als er, teils tiefer drehen sich, ebenfalls an Flitterfäden hängend, zwei Lebkuchenherzen

und eine Trompete mit hellgrüner, silberdurchwirkter Schleife gemächlich um sich selbst. Die Lichter brennen, ohne zu flakkern, lautlos kreisen die Engel in wechselnder Beleuchtung, das Flittergold fängt den Kerzenschein auf und wirft ihn vielfältig gebrochen zurück, und in der Christbaumkugel, die mitten auf dem Flügelrad angebracht ist, erscheint die dämmerige, langsam sich bewegende Welt noch einmal, nur ganz klein und in seltsam gebogenen und abgewandelten Verhältnissen.

Da sollen die Kinder wohl Mund und Nase aufsperren. Sie schieben sich so nahe wie irgend möglich an das Fenster heran und flüstern und rufen durcheinander. Die Vordersten müssen von Zeit zu Zeit den Hauch wegwischen, den ihr Atem auf der Scheibe entstehen läßt. Ein kleiner Junge, der seine Pudelmütze tief über die Augen gezogen hat, tappt mit seinen ungeschickten Fingern immer wieder in der Richtung des Segelschiffes gegen das Glas und singt selbstvergessen vor sich hin, das wolle er „to Wienacht hebbn".

Andreas sieht seitwärts an der Staffelei vorüber in die Tiefe des dunklen Raumes, wo er Buko irgendwo vermutet. Dabei überlegt er sich, ob es unter diesen Umständen eigentlich angebracht sei, zu ihm hineinzugehen. Ist er denn überhaupt zu Hause? Er kann ihn nirgends entdecken. Doch, zu Hause muß er wohl sein. Er darf die Kerzen doch nicht sich selbst überlassen. Oder sollte er das Schattenhafte sein, da rechts, diese verwischte Stelle im Hintergrund? Andreas schirmt den Lichterglanz mit der Hand ab und beugt sich etwas vor. Ja, es ist Buko. Er sitzt unbeweglich in seinem alten Ohrensessel, raucht eine Pfeife und betrachtet die Kinder. Nachdem Andreas sich an die Dunkelheit gewöhnt hat, erkennt er ihn. Eine Welle der Zuneigung flutet durch ihn hindurch. Bukos Gesicht ist zerfurcht und gedankenvoll. Er lebt so einsam wie keiner sonst. Was er an Hab und Gut sein eigen nennt, ist kaum der Rede wert. Andreas weiß, daß er zuweilen bei einer Flasche Rotwein die Nacht durchwacht, in seinem Atelier umhergeht und mit sich selbst Zwiesprache hält. Er liest, geht umher, malt Bilder, die traumhaft aus dem Dunkel hervorleuchten, und schweigt gegen jedermann. Kunstmaler Buko. Und da hat er sich nun in seiner Einsamkeit dies Schaufenster für die Kinder ausgedacht. Nein, Andreas kann ihn jetzt nicht stören. Außerdem muß er ja schleunigst Viola und Martin hierher schicken. So zieht er sich denn vorsichtig zurück und beschließt, nach dem Abendessen wiederzukommen, wenn die Lichter hier erloschen sind.

*

„Was ich noch sagen wollte ...", murmelt Buko, wie Andreas sich in der Haustür von ihm verabschiedet.

„Ja?"

Er macht zögernd „Hm", stößt mit dem Fuß an die Schwelle, blickt auf, wendet sich ab und stößt abermals an die Schwelle. „Sie haben nicht zufällig diesen seltsamen Jungen bemerkt, vorhin, als Sie draußen vor dem Fenster standen?"

„Was für einen Jungen meinen Sie?"

„Links vorn. Das heißt von Ihnen aus rechts. Er hatte keine Mütze auf. Ein Junge von fünf oder sechs Jahren mit hellem Haar. Dicht an der Scheibe. Aber vielleicht phantasiere ich mir ja auch etwas zurecht. Ich weiß nicht."

„Warten Sie mal", sagt Andreas. „Keine Mütze auf? Nein, eigentlich nicht."

„Hm."

„Hat er denn etwas angestellt? Oder weshalb fragen Sie?"

„Nein ... ja ... Doch, er hat etwas angestellt, aber ... Och, kommen Sie doch noch einen Augenblick herein! Ich muß Ihnen etwas ... Haben Sie noch einen Augenblick Zeit?"

Sie gehen ins Atelier zurück. Buko läßt sich auf seinem Bett nieder, Andreas rückt sich den Ohrensessel zurecht, in dem er vorhin schon gesessen hat, zwischen ihnen steht ein Tischchen, auf dem ein Tabaksbeutel und ein paar Äpfel liegen. In einem gläsernen Leuchter brennt eine Kerze. Es riecht nach Pfeifenrauch, Terpentin und Wachs. Sie sitzen eine Weile schweigend da. Buko hat sich vornüber gebeugt und betrachtet den Fußboden. Schließlich lehnt er sich zurück und sagt, ohne die Augen zu heben, er möchte Andreas etwas anvertrauen, aber er wisse nicht, ob er einem vernünftigen Menschen mit solchem Zeug kommen dürfe. Andererseits sei es ihm ja gerade um die Meinung eines vernünftigen Menschen zu tun. „Natürlich habe ich bei offenen Augen geträumt", sagt er mit einem kurzen, verlegenen Auflachen. „Nur eben ... es ist ja gleich, ob Traum oder Wirklichkeit. Auch ein Traum kann eine merkwürdige Wahrheit ... Entschuldigen Sie, ich bin noch ein bißchen durcheinander!" Er nimmt einen Apfel in die Hand, wirft ihn hoch, fängt ihn auf und legt ihn wieder an seinen Platz.

Andreas sagt, oft werde die Wirklichkeit, wenn er sie tiefer und tiefer bedenke, so schwebend und ungewiß wie ein Traum. Und wiederum wisse er viele Träume, die in sein Leben eingegangen seien wie Wirklichkeiten.

Aber Buko scheint nicht zuzuhören. Seine Schuhspitze umfährt langsam einen dunklen Fleck auf dem Fußboden. Er denkt an das, was ihn bewegt. „Zuerst hatte ich ihn gar nicht bemerkt", sagt er. „Neben ihm stand ein Knirps mit verschmiertem Gesicht und schlug gegen die Scheibe und sang dazu."

„Ja, den habe ich gesehen. Die Mütze ging ihm bis über die Augen. Den habe ich gesehen. Aber den andern nicht."

„Und während ich mich noch über das kleine Ungeheuer freute ... Wissen Sie, so ein Kindergesicht ist ja doch etwas ... oh!" Er legt die Hand über die Augen und schüttelt überwältigt den Kopf. Dabei atmet er seufzend durch die Nase.

Andreas versteht, daß er ein wenig Geduld haben muß.

Die Kerzenflamme sinkt knisternd herab und steigt gleich darauf wieder hoch. Draußen klingelt ein Schlitten vorbei. Dann ist es so still wie zuvor. Sogar das Rieseln des Schnees hat aufgehört.

Schließlich wischt Buko mit der Hand über sein Gesicht und reibt sich das Kinn: „Ja, also ... während ich mich noch über das kleine Ungeheuer mit der Rotznase freute, wurde mein Blick auf eine sonderbare Weise von dem anderen Jungen angezogen. Nicht als ob er durch irgendein Gebaren meine Aufmerksamkeit auf sich gelenkt hätte. Er stand nur da und betrachtete mit seinen großen, blauen Augen die Engel, die durch die Luft glitten. Und diese Augen waren ebenso staunend und selig wie die der übrigen Kinder. Aber als sie einmal wie zufällig über mich hingingen, gewahrte ich, daß in ihrer Tiefe ein Wissen und eine Traurigkeit lebte ... Wie soll ich das sagen? Kinderaugen mit einem Ausdruck des Erbarmens. Unschuldige Augen, die das Leid der Welt kannten. Noch nie in meinem Leben habe ich solche Augen gesehen. Sie werden denken, Unschuld und Wissen seien unvereinbar. Ja, ja. Ich denke ja auch, daß ... Und dennoch!"

Er hält ein und starrt Andreas unsicher an. „Vielleicht waren es ja keine Menschenaugen", fügt er flüsternd hinzu.

Obwohl er die letzten Worte mit einem fragenden Unterton gesprochen hat, antwortet Andreas ihm nicht. Er ist nicht imstande, etwas zu sagen, denn Buko starrt ihn immer noch an. Sein Blick ist so groß und ernst, daß Andreas nichts anderes mehr wahrnimmt. Alles um ihn her versinkt mit dünnem Rauschen. Ein paar Sekunden lang hat er das Gefühl, als löse sein Körper sich auf, als gebe es nur noch dies schwermütige Ineinander von Auge und Auge. Dann findet er zu sich zurück.

Wieder läßt sich draußen ein Schlitten vernehmen. Er biegt jedoch, ehe er heran ist, in einen Seitenweg ein. Das Geklingel verliert sich.

„Hören Sie zu", sagt Buko, „was dann kam. Die Kerzen waren allmählich herabgebrannt. Als die erste erlosch, überlegte ich, ob ich sie durch eine neue ersetzen sollte, fand aber, es sei bei kleinem an der Zeit, daß die Kinder sich auf den Heimweg machten. Die meisten waren übrigens schon fortgegangen. Und nun klapperte wieder eins davon und nun noch zwei, und dann stand nur noch der fremde Junge vor der Scheibe. Seine Augen leuchteten noch genauso beglückt wie vorhin. Je länger ich ihn betrachtete, um so mehr ergriff mich der zarte Adel, der ihm eigen war. Vorsichtig, damit er nicht auf mich aufmerksam würde, bedeckte ich mein Gesicht mit meinen Händen und besann mich. Was mochte es mit ihm für eine Bewandtnis haben? Ich kannte ihn nicht und kannte ihn doch. Und wie ich so meinen Gedanken nachhing, hörte ich, daß die Haustür leise geöffnet und wieder geschlossen wurde. Auf dem Flur erklangen Schritte, jemand tastete an der Zimmertür herum, erfaßte die Klinke und drückte sie nieder. Die Tür ging auf. Ich ließ die Hände sinken. Da stand der fremde Junge vor mir. Ich saß dort, wo Sie jetzt sitzen, und hier, in der schummerigen Dunkelheit hinter der Staffelei, stand der Junge. Wenn die Staffelei auch das Kerzenlicht verdeckte, so war es da doch nicht völlig dunkel, sondern nur so schummerig. Ich konnte das blasse Oval des Gesichtes noch eben erkennen. Und in dem hellen Haar fing sich noch so viel Dämmerung, daß sich so etwas wie ein schwacher Schein, ein ganz schwacher Schein über dem Kopf zeigte.

‚Guten Abend', sagte eine langsame Kinderstimme aus der Dunkelheit heraus. ‚Ich möchte das wohl kaufen, das mit den Engeln da.'

‚Nein, Junge', entgegnete ich, ‚das ist nicht zu verkaufen.'

‚Aber du hast es doch in dein Schaufenster gestellt.'

Erst jetzt wurde mir bewußt, daß ein langgezogenes, dünnes, gläsernes Singen jedes seiner Worte begleitete, ganz hoch. Nun schwieg es. Ich wartete eine Weile, aber es blieb still. Da sagte ich zu dem Jungen, daß ich den Kindern damit eine Freude habe machen wollen.

‚Warum wolltest du ihnen denn eine Freude machen?' Wieder ertönte, während er sprach, das hohe Singen. Es kam von dorther, wo die Engel um die Weihnachtspyramide schwebten. Sie bewegten sich nur noch zögernd, weil die oberen Kerzen schon erloschen waren. Ich fragte mich, ob es denn sein könne, daß die Engel so geheimnisvoll sängen.

‚Warum wolltest du ihnen denn eine Freude machen?' fragte der Junge noch einmal.

‚Ich sehe es so gern, wenn Kinder frohe Augen haben.‘

‚Warum denn?‘

‚Ja, Junge, warum? Das ist gar nicht so leicht zu erklären. Siehst du, ich habe den ganzen Abend hier gesessen und euch beobachtet, wie ihr eure Freude an den Weihnachtssachen hattet. Und da war mir, als gäbe es keinen Jammer und keine Sünde mehr auf der Welt. Unsereins kann sich ja nicht mehr so freuen, wie ein Kind sich freut. Wir haben ja viel zuviel Schuld auf uns geladen. Und nun gehen wir umher und fühlen eine unbestimmte Sehnsucht nach ... nach ... Wenn wir auch arbeiten und reden und lachen und uns um nichts zu kümmern scheinen, im Grunde haben wir doch Sehnsucht. Oft haben wir Sehnsucht. Immer. Eigentlich immer.‘

‚Wonach habt ihr denn Sehnsucht?‘

‚Nach der Unschuld, glaube ich. Daß wir unschuldig wären, daß es keine Sünde gäbe.‘

‚Was ist denn Sünde?‘

‚Wenn man so allein ist.‘

‚Alleinsein ist doch keine Sünde.‘

‚Wenn man ... Ach, Junge, wenn man ohne Gott ist.‘

‚Hast du denn Sehnsucht nach Gott?‘

‚Ja, Junge.‘

Da entstand eine Stille. Und dann begannen die Engel wieder zu singen. Und der Junge sagte: ‚Du, Er sehnt sich auch nach dir.‘

Ich antwortete, das könne niemand wissen.

‚Doch‘, sagte der Junge, ‚ich weiß es. Glaube mir.‘

‚Wer bist du denn?‘

‚Alle Sehnsucht des Menschen nach Gott‘, fuhr der Junge fort, während die Engel abermals ihre Melodie anstimmten, die wie ein silbernes Gespinst um die Worte schimmerte, ‚alle Sehnsucht des Menschen nach Gott ist in Wahrheit die Sehnsucht Gottes nach dem Menschen.‘

‚Die Sehnsucht Gottes nach dem Menschen‘, sagte ich. ‚Wer bist du denn?‘

Die Engel begannen wieder, aber der Junge schwieg. Ihr

Lied war wie der Gesang einer Glasorgel. Es wurde lauter und lauter. Jetzt klang es schon wie eine richtige Orgel. Der Junge schwieg noch immer. Und als der Orgelgesang an Fülle und Brausen gewann und mit dröhnender Gewalt über mich hinflutete, kam das blasse Gesicht langsam aus der Dunkelheit auf mich zu und wurde größer und durchsichtiger, die Augen ganz groß und unendlich traurig. Es waren keine Kinderaugen mehr. Ich sah, daß sie alles wußten, auch das Letzte, auch die letzte Verlassenheit von Gott. Aber dahinter war noch etwas, ein Allerletztes, etwas Unbegreifliches, hinter dem Wissen. Warum ich es tat, kann ich nicht sagen, ich mußte es einfach tun, ich neigte mich vor und gab mich willenlos in das Geheimnis der Augen hinein. Es war, als fiele ich in einen bodenlosen Abgrund. Ich fiel und fiel. Und dann verdichtete sich das Leere um mich her, etwas Weiches fing mich auf, ich öffnete die Augen und merkte, daß ich nach wie vor in meinem Sessel saß, die Pfeife in der Hand. Das Zimmer war dunkel, die Kerzen brannten nicht mehr. Nur unter dem Engelreigen flackerte noch ein Flämmchen. Es schrumpfte aber gerade zusammen und verwandelte sich in ein geisterhaftes Blau. Regungslos hingen die Engel an ihren Fäden. Da erstarb auch das Blau. Eine Weile sah ich gar nichts mehr. Dann zeichnete sich allmählich das Viereck des Fensters als schwache Dämmerung in der Nacht ab. Ich saß in meinem Sessel und rührte mich nicht. Und so blieb ich sitzen, bis Sie an die Tür klopften. — Was halten Sie nun davon? Ich meine . . . Dabei bin ich alles andere als ein frommer Mensch. Denken Sie bitte nichts Verkehrtes von mir! Aber was soll man nun davon halten? Ich meine, was hat es zu bedeuten?“

Während der letzten Worte schiebt er seine geöffnete Hand mit einer fragenden Bewegung auf den Tisch. Am liebsten würde Andreas sie ergreifen. Er macht auch schon Anstalten dazu, läßt es dann aber doch sein. Ihre Augen begegnen sich. Buko blinzelt.

„Ach, Buko“, sagt Andreas schließlich, „warum weichen

Sie sich denn aus? Sie brauchen doch keine Angst vor sich selbst zu haben."

„Vor mir selbst? Was wollen Sie damit sagen?"

„Ich will damit sagen, daß Sie es waren, der hereinkam, Sie selbst, Ihr . . . Ach, Sie wissen es schon."

Er schüttelt den Kopf.

Andreas nickt ihm zu.

Aber Buko sitzt nur da und schüttelt den Kopf.

Er reißt etwas entzwei

Zwei grüne Eintrittskarten schwingend, betritt Andreas das Schlafzimmer. „Nun wird doch etwas daraus."

Isabel steht auf der Trittleiter und befestigt den rostroten, sternbetupften Vorhang mit Stecknadeln oben an der Zugvorrichtung.

„Mhm m mhm?" fragt sie durch die Nase, denn sie hat ein halbes Dutzend Nadeln zwischen den Lippen. Aber Andreas versteht trotzdem, daß sie wissen möchte, woraus etwas würde.

„Aus dem Kammerkonzert mit alter französischer Musik übermorgen im Blauen Saal."

„Muii!" Mit einem hohen Laut des Entzückens springt sie von der Leiter herunter und fällt ihm um den Hals. Wenn er seinen Kopf nicht blitzschnell weggewandt hätte, wäre er von einem Nadelkuß durchlöchert worden. Sie macht eine entschuldigende Handbewegung und nimmt die Nadeln aus dem Munde. „Wie hast du denn noch Karten gekriegt? Das Konzert soll doch schon seit acht Tagen ausverkauft sein."

„Ist es auch. Aber ich dachte: versuch's doch noch einmal. Und richtig, wie ich an der Vorverkaufskasse schüchtern frage, werden gerade drei Karten zurückgebracht. Da habe ich natürlich zugegriffen und zwei genommen."

„Herrlich, herrlich. Du, ich freue mich ganz schrecklich."

„Ich auch. Und hoffentlich kommt nun nichts mehr dazwischen!"

Isabel klettert wieder die Leiter hinauf. „Nein, es kommt nichts mehr dazwischen. Was soll denn dazwischenkommen?"

„Irgend etwas."

„Was denn zum Beispiel?"

„Na, wir könnten uns zum Beispiel zanken."

„Warum sollten wir uns denn gerade jetzt zanken?"

„Das weiß ich nicht. Aber es ist doch nicht unmöglich. Es soll immerhin schon einmal vorgekommen sein, daß Eheleute sich gezankt haben."

„Aber wir doch nicht."

„Wir auch."

„Aber doch nicht jetzt."

„Das kann man nicht wissen."

„Ich weiß es aber."

„Na na."

„Du brauchst gar nicht ‚na na' zu machen. Wir werden uns nicht zanken. Ich weiß es. Und wenn ich es weiß, dann ist es so."

„Nimm doch Vernunft an, Isabel!"

„Ich? Du!"

„Ich glaube wirklich, daß ich diesmal die Vernunft auf meiner Seite habe. Ich und nicht du."

Isabel setzt sich auf den obersten Tritt der Leiter und legt mit den Fingerspitzen ihren Rock über den Knien zurecht. „Willst du mir einmal einen einzigen vernünftigen Grund angeben, weshalb wir uns zanken sollten?"

„Fürs Zanken gibt es immer nur unvernünftige Gründe. Aber deshalb steht doch keineswegs fest, daß wir uns morgen oder übermorgen nicht zanken werden."

„Doch, doch, doch, das steht fest."

Andreas setzt seinen Fuß auf die erste Leiterstufe: „Bist du dir eigentlich klar darüber, daß du damit so etwas wie eine Gotteslästerung aussprichst?"

„Nun hab dich doch nicht! Gotteslästerung! Lächerlich!"

„Bitte, wie kannst du behaupten, du wüßtest, was in der Zukunft geschieht."

„Behaupte ich ja gar nicht. Ich behaupte nur, daß ich weiß, was nicht geschieht. Nämlich, wenn wir es nicht wollen."

„Als ob das nicht dasselbe wäre. Eins ist so anmaßend wie das andere."

„Ich kann nicht einsehen ..."

„Ich kann auch nicht ..."

„Dürfte ich, bitte, einmal ausreden?"

„Ich kann auch nicht einsehen, warum ich meine Zeit damit verschwenden soll ..."

„Du willst ja nur, daß du recht behältst. Und darum ..."

Da schlägt Andreas mit der flachen Hand auf eine Leiterstufe: „Gar nichts will ich, gar nichts! Aber meinst du etwa, es machte mir noch Freude, mit einem so halsstarrigen und anmaßenden Geschöpf ins Konzert zu gehen?"

„Und darum – ganz

meinerseits, ganz meinerseits – und darum legst du es darauf an, einen Streit vom Zaun zu brechen. Nur darum. So."

„Hier braucht nichts mehr vom Zaun gebrochen zu werden." Andreas wendet sich zum Gehen. „Es ist bereits soweit."

„Gott sei Dank!"

In der Tür dreht er sich noch einmal um: „Ich wundere mich nur, daß du dich nicht schämst, daß du dich nicht wenigstens ein ganz kleines bißchen schämst."

Aber Isabel kann nur lachen über so viel Hirnverbranntheit. Er sei doch wohl der nächste, der sich schämen müsse, er und kein anderer.

Andreas macht ein paar Schritte auf sie zu: „Denk nur nicht, morgen sähe die Sache schon anders aus, wie du das immer tust! Diesmal nicht. Und damit du auch weißt, woran du bist, reiße ich die verdammten Dinger hier in tausend Stücke."

Er legt die beiden grünen Karten übereinander und setzt mit beiden Händen zum Durchreißen an, hält aber im letzten Augenblick ein, hebt die eine Karte von der anderen ab und vergleicht sie miteinander. Dabei murmelt er verblüfft vor

sich hin, das sei ja noch schöner. Dann richtet er seinen Blick auf Isabel, als erwarte er eine Antwort von ihr.

„Willst du vielleicht so gütig sein", sagt sie von ihrer Leiter herunter, „mir zu verraten, was noch schöner ist?"

„Die Plätze liegen ja nicht nebeneinander. Sie hat mir ausgerechnet die beiden nicht nebeneinander liegenden Plätze von den dreien gegeben, die törichte Person an der Vorverkaufskasse, Nummer fünfundfünfzig und siebenundfünfzig."

„Wenn es weiter nichts ist. Der Besitzer von Nummer sechsundfünfzig wird schon mit sich reden lassen."

„Wird schon mit sich reden lassen? Ich denke, du willst nicht hin?"

„Da sieht man's wieder: ich kann noch so nachgiebig und friedliebend und alles miteinander sein, du bleibst bei deiner Unverträglichkeit. Es ist eben kein Auskommen mit dir, so nicht und so erst recht nicht."

„Was denn? Was denn?"

„Schön, wir tauschen die Karten also nicht. Ist auch besser so. Ich sitze lieber neben einem fremden Herrn als neben meinem widerlichen Mann."

„Was den fremden Herrn betrifft", sagt Andreas, der noch immer mit den beiden Karten in der Hand dasteht, „so könnte es ja auch eine reizende junge Dame sein. Und das wäre gerade das richtige für mich."

„Lächerlich. Es ist natürlich ein Herr."

„Und woher willst du das wissen? Woher willst du das um Himmels willen nun wieder wissen?"

„Ich weiß es eben."

„Nichts weißt du! Menschenskind, du kannst es doch gar nicht wissen! Mach mich doch nicht wahnsinnig!"

Mit dem Blick der Unschuld, die in dieser schlechten Welt nun einmal zum Leiden verdammt ist, sieht Isabel zur Decke empor: „Nun fängt er wahrhaftig schon wieder an."

„Ja!" brüllt Andreas und reißt die Karten mitten durch. Dann bewegt er seinen Kopf mit verzweifelten Rucken dahin und dorthin, wirft die Karten gegen den Frisierspiegel und stürzt aus dem Zimmer.

Nachdem Isabel etwas Atem durch ihre Lippen geblasen und sich am linken Ohrläppchen gezupft hat, steigt sie von der Leiter herunter, hebt die vier Kartenhälften auf, legt die zusammengehörenden an den Rißstellen ein wenig übereinander und steckt sie mit zwei Nadeln zusammen.

Da öffnet Andreas die Tür noch einmal. „Wo sind die Karten?"

„Karten?" Sie verbirgt die rechte Hand hinter ihrem Rücken. „Was für Karten? Ach so! Die habe ich an mich genommen, weil du sie ja offensichtlich nicht mehr haben wolltest. Ich werde mir doch den fremden Herrn nicht entgehen lassen."

„Und ich die reizende junge Dame ebensowenig. Mithin ersuche ich dich, mir meine Karte auszuhändigen."

„Hier."

„Autsch! Was für ein Unsinn mit den Nadeln! Man nimmt einen Klebstreifen dazu."

„Würde es dich sehr belasten, wenn du meine auch wieder heilmachtest?"

„Gib her!"

„Du gehst hin, ich gehe hin, wir gehen beide hin. Ich habe es ja gleich gesagt. Wozu nur die ganze Ereiferung?"

Diesmal ist es Andreas, der seine Augen zur Decke emporhebt.

Er gibt ein Rätsel auf

„Ich weiß ein neues Rätsel", sagt Andreas und reibt sich die Hände, „eins aus dem Leben:

Loch an Loch
und hält doch.
Was ist das?"

Christoph ruft, das stünde in seinem Lesebuch: eine Kette. „Loch an Loch und hält doch."

„Nein, ganz etwas anderes."

„Ein Einkaufsnetz", meint Viola.

„Auch nicht." Andreas sieht Isabel an.

„Wenn du so ein Gesicht machst", sagt sie, „dann ist es sicher irgendwas mit mir."

„Richtig."

„Und was?"

„Dein Küchenhandtuch."

Er steht auf einem Hügel

Es regnet und schneit, es schneit und regnet. Die Johannisbeersträucher, die Obstbäume, die Birken, die Ginsterbüsche, die Föhren triefen vor Nässe. Gegen Abend wird es etwas kühler. Auf dem Rasen bleiben die Flocken liegen. An anderen Stellen zergehen sie zu grauem Matsch.

Schade, denkt Andreas. Es wäre ganz schön, wenn es richtig Winter würde. Dann wendet er sich wieder seiner Arbeit zu. Morgen kommt Isabel zurück, die ihre Schwester besucht hat. Da will er heute noch tüchtig etwas vor sich bringen.

Nach zwei Stunden beginnt es so heftig gegen die Scheiben zu prasseln, daß er vom Schreibtisch aufstehen und noch einmal hinausblicken muß.

Die Welt ist weiß geworden. Der Wind, der auf Nordwest gedreht hat, treibt die Flocken in immer neuen Wogen schräg durch den Garten. Wo sie auftreffen, bleiben sie hängen. Das Thermometer zeigt Null Grad. Ein tolles Gestöber. Solche Schneemassen wirbeln hierzulande nicht oft in der Luft herum. Die Scheiben sind behaucht.

Wie Andreas nach Mitternacht den Bleistift hinlegt, wundert er sich über die Stille vor dem Fenster. Er schiebt den Vorhang zur Seite. Draußen liegt eine tief verschneite Welt in ungewisser Dämmerung. Das Gestöber hat aufgehört, der Wind scheint eingeschlafen zu sein. Hoch oben ziehen helle

Wolkenschleier langsam an der Scheibe des Dreiviertelmondes vorüber. Wenn das bleiche Licht für Augenblicke ungetrübt herunterflutet, geschieht etwas Merkwürdiges. Im Geglitzer der schneeverhüllten Apfelbaumzweige entsteht da und dort ein starkes Gefunkel. Andreas hat so etwas noch nie gesehen. Es ist, als hätten sich an einigen Stellen besonders große Kristalle niedergelassen, die nun bläuliche und silberne Strahlen aussenden. Sie sprühen auf, vergehen und sprühen von neuem auf. Und von den Föhren, die über und über verweht sind, schießt das gleiche Sprühen herüber. Aber immer nur vereinzelt. Ein zauberisches Schauspiel.

Unten an den Scheiben haben sich Eisbogen gebildet. Es muß kalt geworden sein. Andreas wirft einen Blick auf das Thermometer. O ja, sieben, fast acht Grad unter Null.

Dann könnte man doch, denkt er, einmal versuchen, auf Skiern in die unwirkliche Welt hineinzugleiten. Der Schnee ist zwar noch reichlich locker, aber dafür hat er diese wundervolle Unberührtheit. Etwas Schöneres gibt es doch nicht, als in so einer Nacht unterwegs zu sein.

Nach einer halben Stunde schiebt er vor der Gartentür das rechte Knie vor, läßt das linke am rechten vorbeigehen und taucht, einen Ski-Schritt weich in den andern überleitend, in das glimmernde Halbdunkel unter den Föhren. Nachdem er den Bauernwald durchquert hat, zieht er über eine Weide, über einen Acker, über ein Heidestück langsam bergauf, bis er auf dem Gipfel des Hügels steht.

Unabsehbar breitet sich zu seinen Füßen die mondbeschienene Niederung aus, durch die sich der Moorfluß windet. Die Nacht ist so hell, daß er seine Biegungen, die teils durch das offene, dunkelgraue Wasser, teils durch die Erlen und Weiden an den Ufern bezeichnet werden, weithin verfolgen kann. Jenseits der Ebene deuten sich am Himmelsrand die düsteren Wälder der Geest an.

Der Wolkenflor ist noch dünner geworden, ein hauchzart in die Weite und schräg von oben nach unten gezogenes Gespinst, das unsichtbar bleiben würde, wenn sich das Mondlicht nicht in violetten und lila Kreisen an ihm bräche oder es mit glimmenden Silberfäden durchwirkte. Um jeden der großen Sterne schimmert gleichfalls ein violetter Hof. Nur im Norden ist der Himmel frei. Dort hebt sich der ruhige Nebelglanz der Milchstraße deutlich von der blauen Schwärze ab. Der blinkende Stern dicht überm Horizont wird die Wega sein, und der daneben Deneb.

Eine geisterhafte Stille steht über der Erde. Selbst das dunkle Summen der Ferne, das sich sonst doch immer vernehmen läßt, besonders nachts, ist verstummt. Der Schnee hat alles zum Schweigen gebracht.

Es kommt Andreas so vor, als blicke er in die Tiefen, in das Weben und Leuchten einer neuen Schöpfung. Dies alles war vor wenigen Stunden noch nicht, dieser lichtverschleierte Himmelsraum nicht, und diese ruhende, glitzernde, reine Landschaft nicht. So nicht. Kein Menschenauge hat es zuvor erblickt, kein Fuß hat es betreten. Gleich wird er angehaltenen Atems in die Ebene hinabgleiten. Die Skier werden am Hügelhang, der in drei Stufen abfällt, leise zu singen beginnen. Es wird mehr ein Schweben als ein Gleiten sein, vorbei an den violetten Kreisen, vorbei an den blinkenden Sternen, die über ihm und neben ihm in der Nacht hängen, vorbei an dem wechselnden Gefunkel, das von den großen Schneekristallen ausgeht, die Schwerelosigkeit wird ihn aufnehmen, das Hinsinken, der Traum. Er wird nichts mehr von gestern wissen und nichts von morgen. Es wird wie ein Vorgeschmack der Ewigkeit sein.

Aber noch steht er auf der Kuppe des Hügels, richtet seine Augen in die Ferne und hat seine Gedanken. Ist das dieselbe Erde, denkt er, auf der so viel geweint wird in den Tagen und Nächten, auf der Krankheit und Tod, Einsamkeit und Verzweiflung ihre Herrschaft ausüben, auf der die Menschen einander alles Leid antun, das sie irgend ersinnen können, auf der sich die am tiefsten Versklavten, die ihren Gelüsten, ihren Zigaretten, ihren Rundfunkapparaten, ihren Zeitungen, ihren Lichtspielhäusern, ihren Kleidern, ihrer Arbeit, ihren

Berauschungen am tiefsten Versklavten, am lautesten ihrer Freiheit rühmen, auf der die Unseligen, die jeder Frage und jedem Gedanken ausweichen, die tanzend und grimassierend im Nichts versinken, von Menschenwürde reden, auf der es an keinem Tage Frieden gibt, nicht zwischen den Völkern und nicht zwischen den Halmen auf der Wiese, auf der niemand und nichts ohne Schuld zu bleiben vermag, ist es wirklich dieselbe Menschen-Erde? Sie ist es. Ach ja, sie ist es. Auch in dieser Nacht wird wie in allen andern geseufzt, gelitten, betrogen, geraubt und getötet, auch diese Nacht hat keinen Frieden, auch in dieser Nacht ist die Welt den vernichtenden Mächten preisgegeben.

Er setzt die Stöcke rechts und links in den Schnee, um sich abzustoßen und die schwebende Wanderung ins Weglose und Unbetretene zu beginnen. Aber er kann es nicht, noch nicht, er läßt die Stöcke wieder los und beugt sich vornüber. Seine Hände, die in Fäustlingen stecken, schieben sich zwischen seine Knie. Er faßt mit der rechten über die geballte linke, preßt sie gegeneinander und murmelt etwas vor sich hin. Dann richtet er sich auf und gleitet, nachdem sein Blick sich noch einmal der bestirnten Ferne zugewandt hat, langsam den Hang hinunter.